FO
JUNIOR

La Belle Adèle a d'abord été édité en épisodes à lire sur iPhone
à l'initiative de SmartNovel. Sur smartnovel.com, retrouvez la vidéo
de l'entretien que Marie Desplechin a donné à l'occasion de cette publication.
Marie Desplechin y décrit son intérêt pour le feuilleton.
SmartNovel a un catalogue de plus de 60 feuilletons à lire sur iPhone.
Téléchargement de l'application SmartNovel sur l'iPhone App Store.

Marie Desplechin

La Belle Adèle

GALLIMARD JEUNESSE

À Emmanuelle Caussé, *créatrice du faux couple
au collège, stratège valeureuse, experte
en manœuvres par gros temps, amie précieuse.*

1

– Tu ne peux pas faire un petit effort ?

Dans mon souvenir, c'est la phrase qui a tout déclenché. Et la mine qui l'accompagnait. S'il n'y avait eu que les mots, si ma tante n'avait pas eu pour les dire cet air consterné, cet air si profondément désappointé, je n'aurais pas pris les décisions que j'ai prises. Et elles n'auraient pas été suivies des conséquences qui les ont suivies. C'était le battement d'ailes du papillon. Celui qui entraîne le tsunami. En l'occurrence, ma tante faisait le papillon. Elle battait des ailes tant qu'elle pouvait. Le tsunami est arrivé après.

– Tu ne peux pas faire un petit effort ?

Pendant quelques secondes, je me suis demandé ce qu'elle voulait dire. Je n'étais pas plus sale, ni plus impolie que d'habitude. Et d'habitude, je suis plutôt propre et aimable. Mais, comme son regard désolé me détaillait des pieds à la tête, l'évidence s'est imposée. Les efforts devaient porter sur mon allure. Pas sur mon intelligence, mes résultats sportifs, mes capacités relationnelles, mes bulletins scolaires. Sur ma présentation. Quelque chose n'allait pas. Du tout.

– Qu'est-ce qui ne va pas ?

– Tu t'es regardée avant de sortir ?

Elle était à la limite de la grossièreté. Mais je n'ai pas eu le courage de le lui faire remarquer. Car voilà ce que j'avais sur les lèvres : « Tu t'es regardée, toi ? » Ce n'est pas une chose à dire à quelqu'un qui a sur vous l'avantage de l'âge (elle a environ le triple du mien), qui est mieux placé dans la hiérarchie familiale (je ne suis que sa nièce), et qui n'est pas volontairement méchant (elle a plutôt la réputation d'une poire).

– Non, j'ai dit.

Ce qui était la pure vérité.

J'aurais pu plaider que *ne pas* se regarder dans une glace était une circonstance atténuante. Elle s'était certainement, elle, regardée, et longuement. Sortir dans son accoutrement n'est pas une décision qui se prend à la légère. Il faut avoir pesé le pour et le contre. Et assumer. L'aspect de ma tante ne devait rien au hasard, ni à la négligence. Sa robe ouverte sur les genoux, ses cheveux décolorés, le bleu pétrole de ses paupières, les échasses sur lesquelles elle était juchée : tout avait été mûrement réfléchi. Et c'était pire.

– Ma petite fille…, a-t-elle soupiré.

– Quoi ?

Mais elle s'est contentée de répéter :

– Ma petite fille…

Elle n'a pas eu besoin d'en dire plus. Je savais ce qu'elle pensait : « Quand donc cette pauvre chose disgracieuse se décidera-t-elle à se transformer en jeune fille ? Quand donc renoncera-t-elle aux haillons informes et aux baskets effondrées ? Quand mettra-t-elle enfin son corps en valeur, afin que toute la Création admirative puisse s'exclamer à son seul passage : Ah, la belle jeune fille ! » Voilà ce que pensait ma tante : il était temps pour moi de franchir le pas de la féminité, comme elle l'avait franchi elle-même, des siècles auparavant. J'imagine qu'elle voulait mon bien. Elle se disait sans doute que je n'y avais jamais réfléchi. Que mon allure n'était pas un choix. Plutôt un désordre, une incapacité, une sorte de handicap. Si je ne le faisais pas, ce n'est pas que je ne le voulais pas. C'est que je ne savais pas. Elle espérait m'éveiller, telle la fée Marraine dont elle avait la vêture (à défaut de baguette). Elle ne cherchait qu'à m'aider. À sa manière.

Le jour du battement d'ailes, elle m'avait donné rendez-vous devant la sortie du métro, côté grands magasins. À l'occasion de mon anniversaire, ma tante s'était mis en tête d'avoir « un petit geste ».

Dans son lexique, et dans le contexte, « petit geste » signifie « petit cadeau ». J'étais d'accord. Je n'ai jamais dit non à un cadeau, même petit. En échange du « petit geste », il était entendu que j'irais me pourrir l'après-midi avec elle. Traîner dans les magasins est ce que je déteste le plus au monde. Mais ma tante n'aime rien plus au monde que de passer des heures à regarder des habits qu'elle n'achètera pas. Elle les tripote. Elle les essaie aussi. Cet après-midi était donc programmé pour être l'après-midi de la bonté (pour elle) et de la gratitude (pour moi). Nous allions m'acheter un truc. Bras dessus, bras dessous. Un truc de fille, c'était à craindre…

2

Chez nous (une dizaine de têtes en comptant les chiens, soit une famille complète), on appelle ma tante « Sopha ». Sopha est le carambolage tragique de Sophie et d'Annouck, qui sont les deux prénoms de la personne concernée. Sopha donc me serrait le bras avec une vigueur très peu féminine en marchant à grandes enjambées entre les rayons. De toute évidence, elle savait où elle allait. Moi, pas. Ça n'avait aucune importance. J'étais passée entièrement sous sa coupe. J'étais l'otage d'une promesse de don.

Je suivais tant bien que mal ma tante propulsée sur ses escarpins (je n'ai qu'une vague idée de ce qu'est un escarpin, mais une chose est sûre : elle n'était pas en pantoufles), quand nous nous sommes arrêtées sous une enseigne aux consonances américaines. Une jeune femme installée derrière une caisse a souri largement en nous voyant débouler. J'ai cru qu'elle connaissait Sopha.

Erreur. Cette jeune femme souriait à toutes les clientes qui s'arrêtaient sous son panneau. Elle aurait certainement souri aux clients si elle en avait eus. Mais des clients, ici, on n'en voyait pas beaucoup, ou alors ils accompagnaient des clientes avec l'air égaré de quelqu'un qui s'efforce de penser à autre chose.

— Bonjour ! a lancé l'engageante jeune femme.

— Mademoiselle ! a répondu Sopha sur un ton comminatoire. Nous venons pour la jeune fille…

La vendeuse a consenti à déposer son regard sur moi. Il n'était que trop clair qu'elle partageait entièrement l'avis de Sopha : « Elle ne pourrait pas faire un petit effort ? »

— Quelque chose de discret ?

Sans nous laisser le temps de répondre, elle a ajouté :

— C'est tout nouveau, le maquillage, pour toi, hein ?

Je n'aime pas beaucoup que des gens que je ne connais pas me tutoient. J'ai l'impression qu'on va me demander de passer le balai ou de changer le gosse dans les secondes qui viennent.

— C'est vrai madame, vous avez raison.

Elle a haussé le sourcil.

— Tu peux m'appeler Clara, tu sais.

— Oui madame.

J'étais en train de pulvériser le record de la muflerie. Il était temps que Sopha reprenne les choses en main.

— Un peu de poudre sur le visage, de la couleur sur les yeux. Et du mascara, pour ouvrir le regard…

Clara fouillait avec diligence dans une trousse ouverte à côté de sa caisse.

— On va essayer tout ça, la jeune fille se fera son idée. Elle peut s'asseoir sur le grand tabouret, là, en face des miroirs…

J'avais gagné de passer de la deuxième à la troisième personne et cette séance de grand magasin était sur le point de tourner au cauchemar. J'ai bredouillé :

— Je ne crois pas que…

Comme si j'avais le choix. Sopha m'a assise d'autorité sur mon socle et j'ai jeté un regard désespéré autour de moi. Parmi toute cette foule, il allait sûrement se trouver quelqu'un pour me reconnaître. Juchée sur mon tabouret géant, j'étais la plus belle pièce du stand.

— La jeune fille va fermer les yeux, ordonnait maintenant Clara en se saisissant d'un immense pinceau ébouriffé.

Et j'ai fermé les yeux, en priant le ciel que ce soit pour toujours. Mais le ciel n'en fait qu'à sa tête. Quand j'ai levé les paupières, j'étais toujours vivante, et elles étaient mauves. Mes paupières.

D'un beau mauve presque violet, celui qu'on porte habituellement quand on s'est pris une porte dans l'arcade sourcilière. Le reste était à l'avenant. Peau orangée, pommettes vermeilles. Je ne peux pas dire que je ne me reconnaissais pas. C'était bien moi. Mais peinte. Comme si je me préparais à chanter *Sous le ciel de Paris* en fourreau lamé. Sur scène, au cabaret.

Clara me couvait du regard, et seule sa modestie l'empêchait de clamer sa fierté à la face du monde. Quant à Sopha, elle rayonnait.

– Alors ? Contente ?

Que vouliez-vous que je dise ?

– Incroyable, ai-je murmuré.

Puis j'ai ajouté :

– On peut tout enlever, maintenant ?

Mes deux comparses ont éclaté de rire. Elles riaient même tellement qu'elles étaient obligées d'essuyer leurs paupières inférieures du bout de l'auriculaire (rapport au mascara).

– Mais ma chérie ! a hoqueté Sopha. C'est pour toi !

Elle sortait sa Carte Bleue pour payer Clara qui emballait joyeusement ses petites boîtes quand j'ai entendu, tout près de moi, avec une effrayante clarté, une voix étonnée qui disait :

– Adèle ? C'est toi ?…

3

Frédéric Lin me contemplait, le visage effaré. Il a répété, sur le mode Tarzan :

– Toi ? Adèle ?

Il me faisait de la peine. Je ne pouvais pas le laisser s'enferrer plus longtemps.

– Moi, Adèle. Et toi, Frédéric.

Puis je l'ai pris de court.

– Qu'est-ce que tu fabriques ici ?

C'était bien joué parce qu'il a eu l'air pris en faute.

– Ce n'est pas moi. C'est ma mère. Elle m'a obligé. Elle veut m'acheter une veste.

Là-dessus, il est resté muet. Il n'arrivait pas à détacher son regard de mon visage peinturluré. Visiblement ma situation était assez dramatique pour qu'il craigne de l'aggraver en posant des questions idiotes.

C'était vraiment gentil de sa part. Et pas vraiment étonnant. Frédéric est gentil. Il est même tragiquement gentil. Sa gentillesse ne lui apporte que des ennuis, mais c'est plus fort que lui, il n'arrive pas à la mettre en veilleuse. Pour une fille, il n'est pas extrêmement recommandé d'être gentille, dans la mesure où elle a vite fait de passer pour une crétine. Pour un garçon, apparemment, c'est pire. La gentillesse n'est pas seulement l'apanage des crétins, elle est aussi le signe distinctif des faibles et des gonzesses. Il y a chez le gentil quelque chose de sensible, de tendre et de fragile qui le signale immédiatement comme victime pour n'importe quel groupe humain normalement constitué.

Pour se permettre d'être gentil, il faut avoir les moyens de se défendre. Une bonne ceinture noire par exemple. Or Frédéric ne pratique ni le judo ni le karaté. Ni aucun sport, j'en ai bien peur. Ce qui fait qu'il occupe la place de victime. On peut même dire qu'il la monopolise. Depuis la maternelle. Je le sais, j'étais déjà dans sa classe.

Notre histoire a l'âge de notre première rentrée scolaire. On peut dire que nous nous sommes trouvés, tous les deux. Lui avec sa bonne petite bouille et sa gentillesse incurable. Moi avec mes cheveux en pétard et mes manières de brute.

Les choses ont commencé dans la cour de récréation quand il a été clair qu'il n'y survivrait pas sans un sérieux coup de main. Il était nul à la balle, nul à la course, nul à la bagarre, nul en tout. Il voulait juste rester accroupi dans son coin, à jouer avec des petits cailloux qu'il rassemblait et dont il faisait des tours.

– Regarde, c'est une ville !

C'est la première phrase qu'il m'a adressée. Juste après, un troll échevelé a flanqué un coup de pied dans les cailloux et s'est enfui en hurlant. Hurler, c'était son truc. Frédéric a regardé sa petite ville pulvérisée avec des yeux pleins d'incompréhension et de tristesse. Moi, j'ai détalé aux trousses du hurleur. Je l'ai attrapé. Ensuite il a fallu que deux maîtresses me détachent. J'étais agrippée à lui et je lui arrachais les cheveux. J'ai été punie. Mais Frédéric était momentanément tranquille. Et ma réputation était faite.

Nous n'avons pas beaucoup changé, ni l'un ni l'autre, en dix ans. Frédéric Lin passe toujours ses récréations à rêvasser dans un coin. Et j'ai toujours une réputation pourrie.

– Cette veste, a chuchoté Frédéric, je n'en veux pas. En plus, j'ai horreur de faire les courses avec ma mère, elle n'a aucun goût, elle me fait honte.

À quelques mètres de là, la mère nous regardait en souriant. Elle attendait patiemment que son fils adulé ait terminé sa conversation pour le traîner vers les étages, rayon mode homme c'était à craindre. J'aurais adoré que Sopha ait ce genre de pudeur. Au moment même où elle m'avait vu me tourner vers Frédéric, elle s'était littéralement jetée sur nous, les oreilles déployées. Je pouvais presque les voir se tendre pour ne perdre aucune syllabe. Mais ce n'était pas le plus grave. Le plus grave était cette lueur démoniaque qui s'était allumée dans ses yeux. Elle nous fixait avec gourmandise. Spécialement Frédéric. Elle enregistrait son visage aux traits fins, ses yeux ourlés de cils noirs, le mouvement qu'il avait pour rejeter ses cheveux vers l'arrière. Elle le trouvait beau, splendide, merveilleux, adéquat. Elle ne le quittait des yeux que pour échanger des regards complices avec cette idiote de Clara qui pouffait derrière ses ongles rouge sang. Je pouvais l'entendre penser :

– Il a suffi qu'on la maquille pour qu'elle envoûte ce garçon formidable !

Elle était persuadée d'avoir transformé la grenouille en princesse. Cette dingue…

4

L'après-midi s'achevait quand nous avons retraversé la ville, Sopha et moi, le visage fièrement couvert de nos peintures de guerre. J'aurais aimé que nos ennemis terrifiés s'effacent devant nous. Mais apparemment il n'y a qu'à moi que nous faisions peur. Nous cheminions avec vaillance vers l'appartement maternel où nous étions attendues. Incapable de garder son triomphe pour elle, Sopha avait téléphoné à ma mère.

– Tu vas voir ! Tu vas voir…, avait-elle promis.

Autant dire que ma mère était au taquet. Quand nous sommes entrées, elle était emballée dans son vieux peignoir et elle se lavait les cheveux dans la baignoire.

– Alors, alors ? a-t-elle demandé quand elle nous a eues en face d'elle.

Elle nous regardait de ses bons yeux de myope, dans l'attente de la surprise. Et elle ne voyait rien. Sopha aurait pu être déçue, si seulement elle avait eu assez d'imagination pour supposer qu'il n'y avait rien à voir. Mais elle pensait que seule la myopie de ma mère l'empêchait de s'extasier. Elle patientait, certaine que ses yeux finiraient par se dessiller. Pour moi, je n'étais pas loin d'être rassurée. Le truc s'était probablement effacé en cours de route. La poussière de couleur s'était envolée et j'étais redevenue normale.

Hélas, j'avais tort et Sopha avait raison. Les pupilles maternelles ont fini par percer le flou. Les yeux se sont écarquillés.

– Enfin Adèle, a dit ma mère, qu'est-ce que tu as fait à ta figure ?

Nous courions à la catastrophe diplomatique. Mais Sopha n'est pas le genre de femme à se laisser gâcher l'après-midi par une bourde mal maîtrisée.

– C'est mon cadeau ! a-t-elle hurlé.

– Ah…, a murmuré ma mère. Vous êtes allées…

– Nous faire maquiller ! Et j'offre tout le matériel à Adèle !

– C'est…, a fait ma mère. C'est…

– Ravissant !

Je les ai laissées s'empêtrer toutes seules : elles sont sœurs, elles ont leurs habitudes. Ma mère s'est longuement frotté les cheveux dans sa serviette. On ne voyait plus sa figure. Sopha guettait le moment où elle sortirait le nez de l'éponge.

– Elle a l'âge de prendre soin d'elle, non ? a-t-elle demandé sur un ton revendicatif, comme si ma mère était à la fois contre le soin et contre moi. Elle est mignonne comme tout, ta fille ! Il est temps qu'elle apprenne à se mettre en valeur. Et comme tu le vois, un maquillage léger peut changer beaucoup de choses.

Ma mère frottait, frottait. Elle allait finir par s'arracher les cheveux. À force.

– Évidemment, continuait Sopha sur sa lancée, il faudrait qu'elle apprenne à choisir ses vête-ments… Je suis disponible pour l'accompagner. Tu sais que je suis dingue de shopping. Tu peux me la confier un de ces week-ends. On se fera une bonne virée toutes les deux. Hein, ma chérie ?

« Ma chérie » m'était destiné, sans doute possible. Il n'était pas trop tôt. Je commençais à me sentir singulièrement exclue de toute cette histoire.

– J'aime pas trop le shopping, ai-je hasardé.

– Avec moi, tu vas adorer ! a affirmé Sopha.

Et je me suis juré de l'éviter pendant les quarante années à venir.

Ou ma mère se décidait à me défendre avec fermeté, ou j'allais devenir le jouet de ma tante. Mais elle frottait toujours. Visiblement, elle était sous l'emprise d'une puissance supérieure. Quelque chose comme une secte dont Sopha était le gourou.

Bref, nous étions en plein galimatias et ma mère allait y laisser son cuir chevelu quand la sonnette de la porte d'entrée a retenti.

– Quoi ?! a fait ma mère sous la serviette. Quoi encore ?

– Je crois que c'est pour moi, a dit Sopha. Un ami. Je me suis permis de lui dire de passer me chercher chez toi.

– C'est malin, a gémi ma mère. Si seulement tu m'avais prévenue, je me serais débrouillée pour avoir l'air présentable…

– Surtout pas ! Pas de concurrence déloyale ! C'est moi qu'il vient chercher !

Nouveau coup de sonnette. Ma mère s'est précipitée à la salle de bains tandis que Sopha se dirigeait majestueusement vers la porte.

– Mon ami photographe, a soupiré Sopha. Un grand photographe… Et un grand ami…

Si elle s'adressait à moi, c'est qu'elle avait vraiment besoin d'impressionner quelqu'un. Parce que moi, les photographes copains de ma tante… Elle a ouvert la porte. Ma mère était enfermée à double tour dans la salle de bains, et j'étais toujours maquillée comme une poupée de foire…

5

Attention ! Le battement d'ailes du papillon vient d'effleurer l'océan. Jusqu'ici, ça n'a l'air de rien. Sans cet imperceptible frôlement pourtant, le tsunami continuerait à roupiller dans ses grands fonds. Les événements minuscules qui déclenchent les grands cataclysmes arrivent sans qu'on les repère. Comme ce gros type qui venait d'entrer dans mon appartement. Qui aurait parié un sou sur sa capacité cataclysmique ?

– Brian ! a crié Sopha.

– Sopha…, a répondu Brian avec un sourire timide.

– Brian ? a fait ma mère en sortant de la salle de bains, les cheveux mouillés mais peignés.

– Anne-Laurence, ma sœur, tu peux l'appeler Anne-Lo, a fait Sopha en guise de présentation.

– Brian, a répété Brian mais là il se présentait.

– Et moi, c'est Adèle, ai-je dit puisque personne ne s'intéressait à moi.

– Bonsoir Adèle, a dit Brian.

Il a passé l'index au-dessus de sa lèvre et il m'a regardée attentivement.

– C'est marrant, a-t-il dit. Tu me rappelles un boulot que je suis en train de faire. Un truc avec des ados.

Par miracle, à ce moment précis, ni Sopha ni ma mère n'écoutaient. Elles étaient bien trop pressées de sortir des bouteilles du frigo et de disposer des olives dans la coupe marocaine. Nous étions bien partis pour une petite causerie, moi et Brian, mais Sopha l'a saisi par le bras et précipité dans le canapé.

– Ah !… mon chou ! a-t-elle lancé en s'effondrant à côté de lui.

Maman s'est assise au bord du fauteuil, un verre à la main. Une nouvelle passionnante conversation allait commencer dont je n'étais plus le sujet principal. C'était trop d'aubaine. J'étais libre de m'enfermer dans la salle de bains et de me nettoyer la figure. Et je me fichais bien de ce qu'en penserait Sopha. Elle était de toute façon doublement occupée par Brian et son verre de vin blanc. Il y avait gros à parier qu'elle serait bientôt beaucoup trop soûle pour venir me regarder sous le nez. J'allais me retirer sur la pointe des pieds quand mon téléphone a sonné.

– Allô ! Adèle ?

– Frédéric ?

– Je ne sais pas où j'ai fourré mon bouquin de français. J'ai dû le laisser au collège. Je peux passer faire les exercices chez toi ? Je n'en ai pas pour longtemps.

– Pas de problème. Tu veux venir quand ?

– Je suis devant ta porte. C'est bon.

J'ai ouvert et ce n'était pas bon du tout. Frédéric avait visiblement été frappé d'amnésie partielle parce que j'ai vu ses yeux s'arrondir, pour la deuxième fois de la journée.

– Ah ! C'est vrai ! J'avais oublié. Excuse-moi mais… tu te maquilles maintenant ?

– C'est pas moi. C'est ma tante.

– Peut-être mais c'est ta figure. Et c'est bizarre.

– Je sais, je sais…

J'en étais là, à répéter bêtement « je sais, je sais », quand Sopha s'est avisée qu'un nouveau venu stationnait devant la porte d'entrée. Il lui a fallu quelques secondes pour l'identifier. Et soudain, un long hululement est sorti du canapé.

– Ça alors ! faisait le hululement. Mais c'est le même ! Le type ! Le jeune type du magasin !

– Repéré, a constaté Frédéric.

– Venez dire bonsoir, les jeunes, a lancé ma mère.

– On ne fait que passer, ai-je cru utile de préciser. On a du travail.

Nous avons toutefois rempli nos devoirs coutumiers : j'ai présenté Frédéric, il a serré les mains, nous avons accepté un verre de jus d'orange, et nous nous apprêtions à gagner modestement ma chambre quand Brian s'est levé.

– Une minute, juste une minute. Une idée comme ça. C'est pour le boulot dont je te parlais, Adèle.

– Quoi le boulot ? Qui parlait de boulot ?

Sopha s'agitait dans le canapé, l'air blessé de celle qui est tenue à l'écart des discussions importantes. Mais Brian avait déjà attrapé un sac dont il sortait son appareil photo. Il n'arrêtait pas de parler en ôtant le viseur, en trafiquant la lumière, en cherchant sa distance. Un baratineur de première classe.

– C'est seulement une petite idée, vous ne bougez pas, surtout pas, la lumière est excellente, splendide, attendez, regardez-moi, làààà comme çaaaaa, c'est très bien, parfait, merci Adèle merci Frédéric, c'est gentil de m'aider, ne baissez pas les yeux, encore une, la dernière, c'est fini, voilààààà…

6

Parmi les nombreuses particularités fascinantes de Frédéric, je compte son intérêt pour la grammaire. Il est grammairien comme d'autres sont sportifs. Sans qu'on sache très bien d'où ça leur vient. Il est tellement grammairien qu'il invente des règles, comme il inventait des villes quand il était petit. Il dit par exemple :

– Si on ajoutait une désinence aux substantifs, en accord avec le mode de verbes conjugués, je crois qu'on pourrait inscrire dans la langue une nouvelle nuance, très amusante, sur le caractère de réalité de l'énoncé.

Il a sur le visage, quand il tient ce genre de propos insensés, un air de bonheur qui fait chaud au cœur. Ou froid dans le dos, selon la sensibilité de chacun. Pour ma part, j'ai renoncé depuis quelques années à essayer de comprendre ce qu'il dit. Mais j'adore le sourire enthousiaste qu'il a pour le dire. Par modestie, il prétend que parler le chinois l'a beaucoup aidé à comprendre la beauté de la grammaire française. Je crois, moi, qu'avoir deux langues au lieu d'une n'aurait fait que m'embrouiller. Par ailleurs, et contrairement à ce qu'on pourrait croire, son talent ne lui attire que des ennuis. Comme si la gentillesse ne suffisait pas… Les élèves trouvent qu'il est un intello coincé, et les profs un provocateur arrogant. Dernièrement, suite à une remarque typiquement frédériquienne, le prof de français a claqué son manuel sur son bureau.

— Monsieur Lin, a-t-il protesté, si vous tenez tant que ça à faire le cours à ma place, je vous en prie, prenez l'estrade !

J'aurais bien aimé qu'il s'y colle mais il a été obligé de refuser. Le prof ne lui aurait jamais pardonné. Et je ne parle pas de la classe. On en a lapidé pour moins que ça.

Bref, nous nous sommes tranquillement bouclés dans ma chambre et Frédéric a fait les exercices en cinq minutes. Ensuite, je n'ai eu qu'à recopier. Régulièrement, des éclats de rire sonores nous parvenaient du salon. On s'amusait bien là-dedans. Nous avions intérêt à nous tenir à carreau. Pas question de mettre le nez dehors avant la fin des festivités.

— Et pour finir, ai-je demandé, tu as trouvé une veste ?

– Ma mère a trouvé une veste. Je l'ai arrêtée avant qu'elle mette la main sur la cravate assortie.

– Cravate ?

– C'est son rêve. Un fils en costume-cravate. Pour une remise de diplôme. Ou un mariage. Une occasion officielle, quoi. J'ai réussi à éviter la cravate jusque-là. Mais je ne peux pas dire non à tout. J'ai horreur de la décevoir. Alors j'ai une veste. Au moins elle est à ma taille. Et elle est noire.

– Tu la mettras pour aller au collège ?

– Ça ne va pas ? Tu veux ma mort ?

Une personne qui n'y vit pas ne peut pas se rendre compte de la dictature qui règne dans un collège. Je ne crois pas. Il s'agit d'une forme de dictature très particulière, et très efficace, parce qu'elle n'arrête pas de se renouveler. Je veux dire que si les dictateurs changent, la dictature reste. Le collégien moyen vit sous le regard permanent du groupe. Et le groupe obéit toujours à ses dominants. Le collégien est jugé sans cesse et il est jugé sur tout. Ses vêtements. Sa manière de parler, de marcher, de s'asseoir. La marque de son sac à dos. De ses baskets. Son comportement en classe, à la cantine. Ses amis. Sur chacun de ces points, il est vivement recommandé d'avoir l'accord du groupe, et l'aval de ses dominants. Parce que sinon, c'est l'enfer. Et l'enfer peut se manifester de nombreuses façons. Par exemple, l'isolement. On ne vous parle pas, on ne vous regarde pas. Ou encore, la rumeur. On se moque, on parle dans votre dos. Ou même l'hostilité déclarée. On vous bouscule, on renverse votre sac. Dans tous les cas, la solution la plus économique consiste à se taire et à se faire oublier. Et à essayer d'avoir une vie dehors, s'il reste assez de temps pour cela. La pire erreur consiste à se faire remarquer. À moins de faire partie des dominants, la différence est un défaut, l'originalité une tare. Au collège, il faut se fondre dans la masse ou devenir invisible. Frédéric et moi avions un point commun : jusque-là, ni lui ni moi n'avions adopté la bonne stratégie…

7

— C'est quand même marrant, ai-je remarqué. Ta mère rêve de te voir en veste, et ma tante de me voir maquillée. Toi dans le rôle du marié bien diplômé. Moi dans celui de la petite bonne femme qui sait se mettre en valeur. Comme si elles voulaient absolument que nous devenions quelque chose que nous ne sommes pas assez.

— Un garçon, une fille ?

— Par exemple. Un homme, une femme.

— Un masculin, un féminin.

— Je dirais un masculin, une féminine.

— Incorrect mais logique, a relevé Frédéric. Tu as remarqué comme ta tante était contente de me voir, tout à l'heure, au maquillage ?

— C'était difficile de le louper.

— Elle nous voyait fiancés, non ?

— Comme les mariés en sucre sur les pièces montées.

— Les gens adorent les hommes et les femmes qui se fiancent. Ils les respectent.

– Même au collège ? ai-je demandé.

En posant la question, j'ai senti naître en moi une idée toute neuve. J'ai regardé Frédéric. Sur son visage, le sourire enthousiaste venait de faire son apparition. Nous étions incroyablement synchrones.

– Si j'étais ton fiancé, ils arrêteraient de m'appeler gonzesse en roulant des fesses comme des dindons.

– Si j'étais ta fiancée, elles arrêteraient de me traiter comme une gourde disgracieuse et menaçante.

– Il faudrait que tu gardes un peu de maquillage. Au moins autour des yeux.

– Il faudrait que tu arrêtes d'intervenir sans arrêt en français.

– Et nous serions normaux ?

– Nous serions tolérés. Ce n'est déjà pas mal…

C'est ainsi que la première vague a déferlé. Celle qui annonce le tsunami. Quand nous avons décidé, un soir de printemps, dans ma chambre, que nous allions nous intégrer dans la société familiale et scolaire par la voie du couple. Il était entendu que Frédéric ferait le garçon et que je ferais la fille. Pour que les choses soient bien claires, j'étais invitée à me maquiller, et lui à se taire. Ensuite, nous adopterions certains comportements typiques, dont le premier consistait à nous donner la main et à nous prendre par la taille.

C'est un truc que font couramment les gens qui sortent ensemble, même les timides. Ils s'accrochent l'un à l'autre comme des marsupiaux. Pour le reste, il suffirait de systématiser nos habitudes. Nous étions souvent côte à côte en cours. Il faudrait l'être toujours. Nous parlions ensemble pendant les pauses et les récréations. Nous parlerions en nous posant une main sur l'épaule. Et ainsi de suite, je te donne ma barre chocolatée, tu me portes mon sac. Rien de très compliqué. Un peu de discipline ferait l'affaire.

À ce stade, il nous restait un détail technique à régler. Il fallait vérifier notre compatibilité.

— Tu ne seras pas dégoûtée de me tenir par la taille ?

— Tu n'auras pas honte de me prendre par la main ?

Pour résoudre ce genre de questions, on n'a encore rien trouvé de mieux que d'essayer. Frédéric a pris ma main et nous avons fait le tour de la chambre en marchant. Main dans la main, quoi.

— Alors ? a demandé Frédéric.

— Pas de problème. Je dirai même facile.

Ensuite, j'ai pris Frédéric par la taille, ce qui était beaucoup plus compliqué parce que nous sommes aussi grands l'un que l'autre, et qu'il n'est pas naturel du tout de se tenir par la taille en marchant, je parle d'expérience.

– Alors ? ai-je fait.

– Difficile mais jouable.

Enfin, nous avons passé l'épreuve de vérité en nous serrant l'un contre l'autre. J'ai posé mon menton dans le creux du cou de Frédéric et il a procédé de la même façon avec moi. Nous sommes restés collés pendant de longues secondes.

Je nous observais dans la vitre de mon armoire. Dommage que Frédéric n'ait pas pu nous voir (forcément, il tournait le dos au miroir). Nous étions impeccables. N'importe qui, en nous regardant, aurait deviné que nous sortions ensemble. Nous nous sommes décollés d'un commun accord.

– Ça te fait quelle impression ?

– Je ne sais pas…, ai-je répondu.

– Comme si j'étais ton frère ?

– Aucune idée. Je suis fille unique, je te rappelle. Et toi ? Comme si j'étais ta sœur ?

– Je suis aussi unique que toi, et tu le sais très bien.

En conclusion, nous étions du même avis ou presque. Frédéric pensait qu'il tenait sa meilleure copine dans ses bras. J'avais l'impression que je tenais mon meilleur copain dans les miens. Nous étions prêts pour le couple…

8

Pendant l'entraînement, la nuit était tombée. Dans le salon, les exclamations et autres manifestations de joie avaient nettement diminué. Frédéric a jeté un coup d'œil à sa montre.

– J'y vais, a-t-il dit. Ma mère m'attend.

J'ai poussé lentement la porte de ma chambre. Dans le salon, un tableau idyllique nous attendait. Les trois personnes adultes, si dissipées quelques minutes plus tôt, étaient sagement assises et regardaient en silence les photos que faisait défiler le photographe Brian. On aurait dit la petite section de maternelle à l'instant béni de la pause lecture. Très mignons. Malheureusement, à cet âge-là, un rien les distrait. Quand nous sommes passés devant la porte vitrée, les trois visages se sont levés.

– Les jeunes ! a crié Sopha. On s'en va ?

– Il faut que je rentre chez moi, a dit Frédéric.

C'est alors qu'il a eu ce geste génial, divinement

inspiré, de tendre le bras vers mon bras, et de laisser ses doigts effleurer les miens… Le tout sans un regard, avec un naturel si éclatant que j'en suis restée confondue. Un air ahuri peut passer pour l'expression d'un amour sincère, j'en ai désormais la preuve. Trois regards ont suivi simultanément notre petit manège. Trois moues ont commenté en silence ce qu'ils venaient de voir. Brian était informé. Sopha était sidérée. Ma mère était médusée.

– Au revoir tout le monde, a lancé Frédéric sur le pas de la porte.

Je me suis contentée d'un simple « Salut, à demain », et j'ai vite fermé la porte derrière lui.

Après ce coup d'éclat, je n'avais pas un désir fou de rejoindre mon public. Aucune envie d'affronter les remarques, avis et autres analyses qui ne manqueraient pas de me tomber dessus. Mais, à moins de me mettre moi-même à la porte, je n'avais pas grande chance d'échapper à ce qui m'attendait.

– Adèle ! Viens voir ici !

Difficile d'ignorer la voix de celle qui m'avait offert, pas plus tard que dans l'après-midi, le matériel nécessaire à ma transformation en fiancée. C'était une question d'honnêteté. Elle avait par ailleurs ce genre de fréquence extrêmement dense qui caractérise les maîtres-chiens et qui contraint les dobermans à obéir. Bref, j'ai fait demi-tour et je suis entrée dans le salon. Et là, ma mère m'a sauvé la vie.

– Viens donc voir les photos de Brian, a-t-elle proposé en me cédant sa place dans le canapé.

Du coup, Sopha n'a rien dit. Elle s'est contentée de sourire, comme si nous n'avions pas besoin de mots pour partager nos pensées. Erreur. Car, si j'étais très capable de partager ses pensées, je ne crois pas qu'elle était en mesure de soupçonner les miennes. Ni même la moitié ni même le dixième.

Les photos de Brian étaient des photos, pas de problème là-dessus. Des photos de mode, avec quelques mannequins connus, devenus chanteuses, actrices ou femmes d'hommes célèbres. Je n'étais pas particulièrement intéressée mais comme je voulais me montrer polie, je m'exclamais à chaque image : « Oh ! super-joli ! » Et moi-même je ne savais pas si je parlais de la fille, de la robe ou de la photo. J'étais ridicule mais je faisais de mon mieux. J'ai été récompensée par un regard reconnaissant de Brian.

– Pour le shooting… Toi et ton copain… S'il y a des suites, je t'appelle.

– D'accord, j'ai répondu.

Qu'est-ce que c'est qu'un shooting et quel genre de suite on peut en attendre, mystère. Mais vu ce que ce type avait bu en compagnie de ma mère et de ma tante, ce n'était pas la peine de s'affoler. Il aurait tout oublié le lendemain.

– Bon, a-t-il fait en se levant du canapé. On va dîner, les filles ?

– Tu nous accompagnes, Anne-Lo ! a ordonné Sopha.

Décidément, c'était sa journée de bonté.

– Ça t'ennuie de manger une pizza toute seule ? m'a demandé ma mère, à peine embarrassée. Je ne rentrerai pas tard…

– J'espère bien, ai-je dit.

Là-dessus, ils ont pris leurs cliques et leurs claques et ils sont sortis sur le palier. Avant de monter dans l'ascenseur, ma mère est revenue vers moi et elle m'a fixée avec le regard méfiant de celle à qui on ne la fait pas.

– Qu'est-ce que c'est que cette embrouille avec Frédéric ? a-t-elle dit à voix basse. C'est nouveau, cette histoire ? À quoi vous jouez ?…

9

Enfin seule ! À moi, salle de bains, coton et lait démaquillant ! J'ai imprégné le coton de crème blanche et je m'apprêtais à m'en tartiner la figure quand j'ai eu une hésitation. Je me suis penchée vers le miroir, pour me regarder, à fond. Si je voulais le répéter, j'avais intérêt à me souvenir du modèle. Cette Clara, quoi que j'en pense, possédait la technique. Le mauve était bien posé, plus foncé près de l'œil, plus pâle en s'éloignant. Le rose-orangé n'était pas étalé au milieu de la joue mais estompé sur le haut des pommettes…

J'ai ouvert le paquet cadeau de Sopha et sorti les boîtiers. Le petit pour les yeux comptait trois couleurs. Le moyen pour les joues n'avait qu'un seul ton effrayant. Le gros pour la figure faisait une sorte de tourbillon marronnasse, et je ne voyais pas très bien comment m'en servir… Sopha avait raison sur une chose : il allait falloir apprendre.

Les filles de ma classe devaient y passer un temps fou le matin. Sans compter celles qui en remettaient une couche entre midi et deux. Je m'étais souvent demandé pour qui, pour quoi, elles se donnaient tant de mal. La plupart d'entre elles n'étaient ni spécialement jolies ni spécialement moches. Elles n'avaient pas spécialement de boutons. Et elles n'avaient pas d'amoureux répertoriés. Mais peut-être espéraient-elles en trouver un ? Dans la rue, le matin, en venant au collège ? Ou le soir, en rentrant chez elles ? Une figure peinte offre-t-elle de meilleures chances d'attraper un amoureux ? Et si oui, quel genre d'amoureux ?

Mais peut-être n'avaient-elles pas de projet aussi précis. Peut-être ne cherchaient-elles personne. Peut-être voulaient-elles être tout simplement normales. Normalement habillées, normalement maquillées, normalement filles. Le maquillage n'était peut-être pas un truc pour être remarquée, mais au contraire le plus sûr moyen de n'être pas remarquée… Une sorte de camouflage en milieu hostile. Dans le fond, ces filles avaient peut-être juste une longueur d'avance sur moi…

J'ai passé le coton et la couleur est partie facilement. Tout juste s'il me restait un liseré sombre autour des yeux. Je me suis ensuite baigné le visage dans l'eau tiède. La peau me tirait mais j'avais l'impression agréable d'être toute propre. J'ai piqué un peu de crème antirides à ma mère. Elle était grasse et collante. J'ai pensé qu'il faudrait que je m'achète une crème à moi. La question étant de savoir si la dépense entrait dans le budget général ménage-hygiène ou si je devais taper dans mon argent de poche…

J'ai sorti la pizza du congélateur et je l'ai mise dans le four. Je m'efforçais de ne pas faire de grands gestes inconsidérés, de ne pas chantonner ni parler toute seule. Mais en réalité j'étais totalement exaltée. Pas tellement parce que la voie de l'intégration s'ouvrait (peut-être) enfin à moi. Mais parce j'allais l'emprunter par la ruse. D'accord, se comporter normalement pour avoir l'air normal n'est pas exactement ce qu'on peut appeler une ruse… Mais le faire sans y croire ? Pour en tirer un bénéfice immérité ? En trompant son monde ? Ça, c'était de la ruse, et de première qualité.

Un quart d'heure plus tard, Adèle la rusée était attablée devant une pizza desséchée et fumante, la fourchette dans une main, le couteau dans l'autre. Elle imaginait avec de petits ricanements la surprise de ses camarades, dès le lendemain, quand elle entendit la clé tourner dans la serrure.

Ma mère. Déjà. Elle avait abandonné ses compagnons de bamboche devant leur tiramisu pour retrouver sa fille chérie. Ou alors, elle s'ennuyait tellement qu'elle m'avait prise comme excuse pour s'éclipser. Enfin, le résultat était là. Jamais tranquille.

– Tu t'es démaquillée ?

– Comme tu 'ois, ai-je fait, l'élocution un peu encombrée par la pizza brûlante.

– C'est une drôle d'idée, quand même, ce maquillage… Tu es contente, au moins ?

– 'rès. 'rès 'on'en'te.

– Tant mieux. Je n'aurais pas cru. Sopha te connaît bien, pour finir. Mieux que moi. Mais il est vrai que les parents ne sont pas toujours bien placés pour comprendre leurs enfants. Et Frédéric, alors ? Ça dure depuis combien de temps, cette histoire ?…

10

Pauvre petite et fragile maman ! Quand je pense très fort à elle, il m'arrive de me sentir atrocement sentimentale. J'aimerais sentir aussi quelque chose à propos de mon père, malheureusement je ne l'ai pas vu depuis quelques années. Je n'ai qu'une mère pour parents, et parfois elle me fait pitié. Elle était là, à regarder tristement ma pizza en se faisant du souci pour sa grande fille.

— Eh bien, ai-je commencé, Frédéric…, en fait c'est tout nouveau. C'est même assez inattendu. Pour être franche, je ne suis pas sûre que ça ait commencé. Un non-événement, si tu veux. Tu vois, il n'y a rien à craindre. À ta place, je ne m'inquiéterais pas…

Si j'avais eu l'intention de la rassurer, c'était raté. Si je me fiais à son regard perdu, j'étais plutôt en train de l'affoler.

— Qu'est-ce que tu me racontes ? Tu sors avec lui, ou non ?

Je suis restée muette. J'ai beaucoup de mal à utiliser la ruse avec ma mère. Pour quoi faire ? Elle ne m'attaque pas, je n'ai pas à me défendre, elle est plutôt gentille, je ne suis pas méchante. Alors ?

– Je sors avec lui, je sors avec lui… C'est vite dit. Les gens croient des trucs mais ça ne veut pas forcément dire qu'ils ont raison…

Un brouillard d'incompréhension a troublé son regard maternel. Puis les sourcils se sont froncés et le brouillard s'est dissipé sur une lueur de désapprobation. L'incompréhension a fait place au reproche.

– J'ai beaucoup de sympathie pour Frédéric, a remarqué froidement ma mère.

– Moi aussi, ai-je approuvé.

– Dans ces conditions, j'aimerais bien que tu fasses attention. Frédéric n'est pas un jouet.

Un jouet ? Elle débloquait complètement.

– Qu'est-ce que ça veut dire ?

– Je ne veux pas que tu te comportes avec lui comme une coquette. C'est un garçon sensible et à mon avis assez vulnérable. Il faut que tu te rendes compte qu'il éprouve des sentiments et que tu peux le blesser.

Alors là, c'était la meilleure ! Elle ne se faisait aucun souci pour moi. C'était pour lui qu'elle s'inquiétait. Pour un type que j'avais passé la majeure partie de mon existence à défendre.

– Coquette ? Tu as dit « coquette » ?

– Coquette, parfaitement, a-t-elle répondu en me fixant droit dans mes yeux encore un peu maquillés.

Et voilà ! Quelques milligrammes de poudre mauve autour de l'œil et j'étais devenue la Grande Coquette, l'Irrésistible Mangeuse d'Hommes. Mon charme vénéneux allait hypnotiser ce pauvre Frédo, suite à quoi je le dévorerais tout cru. Ensuite, je danserais sur sa dépouille. La samba. Probablement. Merci Sopha.

– C'est à cause du maquillage, tout ce délire ?

– Pas du tout, a-t-elle menti avec effronterie. Je relève des faits. Tu ne peux pas m'empêcher d'avoir des yeux pour voir.

– Pour voir quoi, exactement ?

– Tes virées dans les magasins avec Sopha, tes attitudes avec Frédéric, et tout ce manège avec ce photographe…

Brian, maintenant. Brian et ses photos stupides pour rendre service. Brian, ses deux cent cinquante ans, sa grande chemise et son petit bidon. C'était complet. Je me suis levée de table et j'ai balancé le reste de la pizza à la poubelle.

– Tu n'as plus faim ?

– Tu m'as coupé l'appétit.

Ma mère a haussé les épaules.

– C'est m'accorder beaucoup d'importance…

Tu n'es pas en train de devenir anorexique, au moins ?

— Je crois que si. À partir de maintenant, je vais me nourrir de pépins de pomme en attendant de mourir de faim.

— Ne fais pas la maligne. Une quantité de jeunes filles très jolies et très brillantes…

— Tu ne crains rien. Une fille moche et stupide, c'est ta garantie anti-anorexie.

— Je t'en prie ! a protesté ma mère. Ne sois pas si agressive…

Pour lui éviter d'avoir à supporter plus longtemps ma coquetterie, mon anorexie et mon agressivité, je me suis retranchée dans ma chambre. En temps normal, je me serais épuisée en monologues vengeurs, avant de m'endormir vaincue par la rage. Mais cette fois, pas du tout. Étrangement, je n'éprouvais pas tant de fureur contre ma mère qu'un immense sentiment de *curiosité*. Depuis ma rencontre avec Sopha, au milieu de cette étrange journée, *quelque chose* était en train de se passer. De quelle nature ? J'aurais été incapable de le dire. Mais l'incertitude n'enlevait rien à mon excitation, ni à ma curiosité. Demain, me disais-je en m'endormant, on verra bien demain…

11

Quand le réveil a sonné, j'ai eu un sursaut de révolte. Sept heures moins le quart. Qu'est-ce qui lui prenait ? Et puis je me suis revue, quelques heures plus tôt, en train d'avancer l'alarme, essayant d'évaluer le temps nécessaire à mes nouvelles attributions. Dans l'idéal, je ne comptais pas consacrer plus de cinq minutes à ma décoration matinale. Mais dans la réalité, il faudrait prévoir un temps d'apprentissage. Je n'étais pas sûre de mon coup de pinceau.

Devant son café, ma mère avait une petite figure chiffonnée. Les excès de rigolade en soirée, sans doute.

– Bien dormi ? ai-je demandé.

Elle m'a lancé un regard impénétrable par-dessus sa tasse. Je me suis demandé si elle avait gardé le souvenir de son sermon de la veille. Compte tenu de l'ineptie générale du propos, elle avait intérêt à jouer l'amnésie. J'avais pourtant, moi, appris une chose : il suffisait de pas grand-chose pour qu'une brute épaisse, une cascadeuse invincible, se transforme en femme fatale, au moins aux yeux de sa mère. Je sais que la mère n'est pas la mesure scientifique de toute chose. Je sais que son radar est le plus souvent atrocement faussé et qu'elle comprend tout de travers. Néanmoins, elle reste une personne humaine, et à ce titre elle peut avoir des intuitions. Même un radar foireux peut rendre des services.

– Ça ne t'ennuie pas si je prends la salle de bains la première ?

Ça ne l'ennuyait pas. Il est vrai que je suis championne internationale de douche rapide. Ma technique de savonnage ne peut rivaliser qu'avec ma technique de séchage, et je ne parle pas de l'habillage. Quand on porte le même pantalon toute l'année, et qu'on l'assortit au même tee-shirt, on peut atteindre des records de vitesse. Dans l'univers des salles de bains, on m'appelle « l'Éclair ».

J'ai donc eu tout le temps nécessaire pour découvrir que le maquillage était une opération délicate, risquée et exaspérante. Une couverture marronnasse sur l'ensemble, deux lunes roses en haut des joues, un halo maladif autour des yeux… C'était épouvantable… J'ai tout essuyé avec un peu de papier hygiénique… Et miracle, c'était mieux ! Première leçon : enlevez tout, ce qui reste suffit.

Je m'observais dans la glace quand l'absence des boucles d'oreilles m'a sauté aux yeux. Les boucles d'oreilles étaient utiles, nécessaires, indispensables. Les boucles d'oreilles étaient *féminines*. Pour la cause, il fallait que je me fasse trouer les lobes. Et fissa.

Enfin, il a fallu sortir de la salle de bains. J'étais dans un état de timidité, et même de honte, aggravé. Comme si je sortais toute nue. C'est marrant qu'une couverture de plus fasse le même effet que pas de couverture du tout. Peinte ou à poil, dans le fond, c'est pareil. Une question d'habitude.

— Tu en as mis du temps, a remarqué ma mère quand je suis revenue dans la cuisine.

Puis elle m'a regardée. J'ai fait mine de rien. Je préparais mon thé en attendant le verdict.

— Ça te va bien, a reconnu ma mère.

Elle n'en a pas dit plus, mais il suffisait de quatre monosyllabes pour annuler le sermon maudit, et remettre à zéro les compteurs familiaux.

Si j'étais légèrement angoissée en sortant de la salle de bains, j'ai quitté l'appartement dans un état de panique complet. Mes pensées faisaient du trampoline dans ma tête. J'avais les nerfs à vif et une très forte envie de courir pour les calmer. Quelque chose comme une bonne course de haies dans la boue. Malheureusement, l'exploit sportif boueux n'était pas à l'ordre du jour.

– Hello ! a fait Frédéric quand je me suis arrêtée devant chez lui.

Il m'attendait, comme tous les matins. Et dire que cette inoffensive petite habitude allait se transformer en rendez-vous plein de signification… Je l'ai prévenu.

– Je suis un peu stressée.

– Pas de quoi. On n'est pas obligés de se peloter toute la journée.

– Je te parle du maquillage.

– Quel maquillage ?

Il s'est tourné vers moi et m'a examiné le derme.

– Ah oui…, quand on regarde bien. Pas de quoi s'affoler, je te jure.

C'était un exemple parfait de gentillesse frédériquienne, et je le savais. Je me sentais néanmoins tout à fait rassurée. Jusqu'à ce qu'il murmure :

– Ne bouge pas… Je te prends la main à la grande poubelle verte…

12

On ne connaît pas vraiment quelqu'un avant
d'avoir traversé avec lui des situations extrêmes.
Il faut avoir fait semblant de sortir ensemble pour
prendre la mesure de ses qualités. Je m'apprêtais
donc à faire la connaissance du vrai Frédéric. Et
la situation extrême consistait à remonter le chemin qui mène au collège au milieu d'un amas de
filles et de garçons généralement malveillants.
Évidemment, ce n'était pas la première fois. Ce
chemin, nous le remontions tous les matins. Mais
ce matin-là était très différent. Il était comme le
premier matin du monde. Soit, pour résumer, un
stress mythologique.

Nous nous en sommes sortis comme des dieux.
Sans vouloir le flatter, tout le mérite en revient à
Frédéric. C'est lui qui a tout fait. Plutôt que de
m'empoigner globalement la main et de la presser
comme un doudou, il a vaguement mêlé le bout
de ses doigts au bout des miens, en même temps

qu'il imprimait à son bras un mouvement de balancier. Le résultat était à la fois incroyablement discret (juste le bout des doigts) et merveilleusement visible (le joyeux balancier).

J'étais tellement saisie par l'élégance du geste que j'en ai oublié d'être terrifiée. Dans un état normal, j'aurais voûté le dos et baissé la tête, au moins pour tenter de dissimuler ma figure écarlate. Mais là, pas du tout. Je n'avais aucune envie de rougir. Juste envie de rire. J'avançais la tête bien droite, de l'amusement plein les yeux.

Un certain nombre de gens, qui d'habitude ne se donnaient même pas la peine de lever la tête pour nous saluer, nous fixaient maintenant avec des yeux de poissons. Leurs regards allaient de nos mains à nos visages, en essayant de trouver une explication raisonnable à ce qu'ils voyaient. Nos sourires passaient pour une manifestation visible de notre nouvelle condition : nous étions transfigurés par le rayonnement de l'amour. Tout cela se déroulait sous un frais soleil de printemps et j'avais le sentiment étrange d'interpréter le premier rôle dans une publicité télévisée pour des chewing-gums.

Enfin, nous sommes arrivés devant la porte du collège. Frédéric m'a lâché la main.

– Je crois que ça suffit. Si on en fait trop, on va perdre notre crédibilité.

Comme prévu, une fois en cours, il a suffi que nous soyons assis à nos places habituelles (c'est-à-dire l'un à côté de l'autre) pour confirmer l'événement. Quelques curieux se sont retournés pour vérifier de leurs yeux l'incroyable rumeur… Adèle et Frédéric, tu y crois, toi ?

Entre-temps j'avais un peu oublié cette histoire de maquillage. Elle avait perdu de son pouvoir inquiétant. Elle faisait tout simplement partie du dispositif. Elle était comme un accessoire de scène. La surprise de la prof d'histoire m'a ramenée à la réalité. Cette pauvre Barbot n'arrivait pas à détacher les yeux de mon visage. C'était bien la première fois que je l'intéressais à ce point. D'habitude, j'appartiens plutôt à la catégorie des invisibles.

Je n'étais pourtant pas la seule maquillée de cette classe. Jusque-là, j'étais même l'une des rares à sortir le visage à l'air. En état de nature pour ainsi dire. Dans le fond, pour une fille comme moi, le maquillage n'était qu'une manière de rentrer dans le rang. Il n'aurait pas dû attirer l'attention. Mais ce ne sont pas les faits qui frappent les esprits. Ce sont les changements. Ils activent la circulation cérébrale.

Grâce à quelques manœuvres habilement dispersées dans la journée, nous avons maintenu la circulation cérébrale à un haut niveau de débit.

Il est vrai qu'il ne fallait pas grand-chose pour entretenir l'intérêt des foules. Se pencher l'un vers l'autre pour se parler. Se tendre mutuellement sa veste. Tout faisait signe. Ou n'importe quoi.

– Je n'en peux plus, ai-je dit à Frédéric.

La journée était finie, nous étions sur le chemin du retour, libres de nos mains, il n'y avait plus personne pour nous regarder.

– Je ne pensais pas que ce serait si fatigant, a soupiré Frédéric.

Il semblait à bout. Je l'ai réconforté.

– Maintenant, ce n'est plus qu'une question d'habitude. Le plus dur est fait.

– Tu crois ?

Il était dubitatif. Il n'avait pas tort…

13

Comme tous les soirs, je suis rentrée dans l'appartement désert. Seule, je ne trouve jamais le temps long. Le calme m'apparaît comme une sorte de luxe. Ensuite ma mère revient du travail, et la vie ordinaire reprend son cours.

Ce premier soir de ma nouvelle vie, j'étais particulièrement soulagée de fermer la porte derrière moi. Comme si j'arrivais au refuge après des heures de traque. J'ai frotté ma figure, j'ai fait des grimaces affreuses, et j'ai sauté comme un gorille en poussant des cris inarticulés avant de m'affaler dans le canapé. Je pouvais être aussi moche, aussi idiote, aussi méchante que je le voulais sans risquer le moindre commentaire.

J'allais appuyer sur la télécommande quand le téléphone a sonné. J'ai hésité à décrocher. Le répondeur est plus qualifié que moi pour prendre les messages de ma mère. Mais la sonnerie résonnait atrocement dans mes oreilles. J'ai craqué.

– Adèle ?

Une voix de fille, vaguement familière. Je n'ai pas l'habitude qu'on m'appelle le soir chez moi. Hors ma mère et ma tante, la seule personne susceptible de me téléphoner est Frédéric. Et il m'appelle sur mon portable.

– C'est Laurène.

Laurène ? Troisième rang sur la droite, sac rose pailleté, meilleure amie de six clones parfaits ? Des Laurène, je n'en connaissais qu'une et c'était celle-là.

– Tu as mon numéro ?

– Sur la liste des parents d'élèves. Ma mère est déléguée. Ça ne t'ennuie pas, j'espère ?

J'allais lui répondre que si, justement, ça m'ennuyait beaucoup, ce trafic de données confidentielles, mais elle ne m'en a pas laissé le temps.

– On est avec Aurélie et Jessica et on se demandait un truc mais tu n'es pas obligée de répondre, on sait bien que c'est personnel, alors on se demandait : c'est vrai que tu sors avec Frédéric Lin ?

Plutôt mourir que de lui répondre oui, et répondre non aurait été une erreur stratégique. J'ai donc laissé planer un silence téléphonique et j'ai dit :

– Sans vouloir être désagréable, je crois que c'est un peu ma vie privée…

Ce n'était pas mal joué, mais il en fallait plus pour démonter une Laurène.

– Oui mais comme vous êtes au collège, les gens parlent, alors forcément les autres se posent des questions…

– Et si je n'ai pas envie de répondre aux questions ?

Je les entendais chuchoter à côté de l'appareil. Elles n'avaient que ça à faire, du harcèlement téléphonique ? Elles n'avaient pas de petits amis individuels pour occuper leurs soirées ?

– C'est dommage qu'on ne se connaisse pas mieux, a lancé la voix lointaine de Jessica. On devrait faire plus de choses ensemble. Se voir après les cours. Ou aller au cinéma…

Des propositions maintenant… Ça devenait gênant.

– Désolée de t'interrompre mais il faut que je raccroche, je ne suis pas toute seule. À demain.

Et j'ai coupé la communication. Libre à elles d'imaginer qui meublait ma solitude. J'ai pensé à appeler Frédéric pour l'informer de nos succès. Mais j'avais la flemme. Ce type, je l'avais déjà beaucoup vu dans la journée. Je ne désirais plus qu'une chose et c'était la paix.

J'ai appuyé sur la télécommande. Un vacarme coloré a envahi l'écran gris. J'ai baissé le son et je me suis abandonnée à une bonne somnolence.

Le bruit de la clé dans la serrure m'a sortie de la sieste.

– Tu dors ? a lancé ma mère en passant devant moi.

– Qu'est-ce qui te fait dire ça ?

– Ton travail pour demain ? C'est terminé ?

– Justement, j'allais m'y mettre.

Je me suis arrachée du canapé et j'ai ramassé mon sac à dos devant la porte.

– Frédéric n'est pas là ? a-t-elle demandé négligemment.

– Frédéric ?

– Ben oui, Frédéric. Pourquoi ? Il y a quelqu'un d'autre ?

Sur l'instant, je n'ai pas compris. Il m'a fallu quelques bonnes secondes pour revenir dans la peau de mon personnage. Adèle, la copine de Frédéric. S'ils sortent ensemble, on devrait les voir ensemble. Logique, non ?

Ce qui était plutôt amusant dans le cadre du collège ne l'était plus du tout entre les murs de l'appartement. Je ne pouvais pas balader ma mère à longueur de temps. Et je n'avais pas envie de me disputer avec elle, surtout pour une histoire qui n'existait pas. J'ai reposé mon sac où je l'avais pris et je l'ai entraînée vers la cuisine.

– Je vais te faire du thé. J'ai quelque chose d'important à te dire…

14

J'ai tout raconté, à partir du moment où ma tante s'arrête devant le stand de Clara jusqu'au début de ma confession. Le récit était long mais ma mère m'a écoutée sans mot dire, en buvant son thé à petites gorgées. Elle ne m'a même pas interrompue quand le téléphone s'est mis à sonner.

– Laisse, a-t-elle fait. Il y a le répondeur.

J'ai parlé en toute confiance et à cœur ouvert.

– Et l'intérêt, ai-je conclu, c'est que nous sommes tous les deux gagnants. Être un couple, c'est comme avoir une bande. D'abord on prouve qu'on est sociable, et même très sociable. Ensuite, on est moins seul en cas d'attaque. Enfin, on donne la preuve qu'on n'est pas coincé. Dans cette classe, bien que tout le monde fasse le malin, je n'en connais pas beaucoup qui ont des petits amis.

– Tu penses qu'ils sont jaloux ?

– Ce n'est pas ça. Ils sont impressionnés. Ils pensent que nous avons plus d'expérience. Ils aimeraient bien être à notre place. Et du coup, ils nous respectent.

– Vous avez tellement besoin d'être respectés ?

Elle avait l'air sincèrement étonnée. Et presque triste.

– C'est le problème avec vous, les parents… Vous ne vous rendez pas compte. Vous n'avez aucune idée de nos vies. Au collège, tout ce qui ne rentre pas dans la moyenne est mal vu. Ceux qui sont trop forts, ceux qui ne le sont pas assez. Ceux qui sont trop petits, ceux qui sont trop grands. Ceux qui sont trop bien habillés, ceux qui le sont trop mal. Ceux qui ne font pas assez garçons, celles qui ne font pas assez filles. Moi par exemple, je ne suis pas assez fille et je suis mal habillée. Deux mauvais points. Frédéric ne fait pas assez garçon, et il est trop fort dans trop de matières. Deux mauvais points.

– Et tu crois que la solution, c'est d'abandonner vos singularités, de vous conformer et de rentrer dans la petite moyenne ?

– Mais je ne suis pas dans la moyenne ! Je suis hors moyenne. Je suis même carrément sortie du graphique. Je me maquille par ruse et je ne sors pas avec Frédéric. Nous sommes comme des soldats en uniforme de camouflage dans la jungle.

– Mon Dieu ! a soupiré ma mère. Vous êtes cinglés…

– Tu as une meilleure solution ? Un autre collège à proposer ?

– Non. Quand je parle de cinglés, je ne pense pas seulement à toi et à Frédéric…

Elle s'est levée de table.

– Cette fois, je crois qu'il est temps que tu te mettes à ton travail. Je vais préparer le dîner.

Je suis allée rechercher mon sac. J'allais vers ma chambre quand elle m'a rappelée.

– Adèle ! Je suis contente que tu m'aies parlé. Je reconnais que j'ai un peu de mal à comprendre ce qui se passe. Mais si tu as besoin d'un coup de main, n'hésite pas. Je suis ta mère. Je suis de ton côté.

– Merci maman. Mais je vais essayer de me débrouiller toute seule.

– Évidemment, a-t-elle murmuré en ouvrant le frigo. Évidemment…

Nous avons dîné assises au bord du canapé en regardant le journal du soir. L'avantage de la télévision, c'est que nous ne sommes pas obligées de nous parler. Personne ne remarque les blancs dans la conversation. Quand on vit à deux, c'est appréciable. On n'a pas toujours de quoi entretenir une discussion à bâtons rompus.

Ma mère a arrêté la télévision à la fin des infos. Comme elle prépare un concours, elle travaille le soir comme une étudiante. Après des années dans la banque, elle a décidé de devenir orthophoniste. Elle a mis assez d'argent de côté pour retourner à l'école, et elle a emprunté le reste. Mais d'abord, il faut qu'elle réussisse ses examens d'entrée. Chez nous, c'est plutôt ma mère qui est en pleine panique scolaire et moi qui suis en plein stress social.

— Tiens, a-t-elle dit en se levant pour ranger la télécommande. Le répondeur. Il clignote.

Je rapportais nos assiettes à la cuisine quand elle a déclenché l'écoute. La voix de Sopha s'est mise à résonner dans tout l'appartement. Elle ne s'était pas calmée depuis la veille au soir.

— Anne-Lo ! Adèle ! J'ai une information extrêmement importante à vous communiquer ! Vous seriez bien aimables de me rappeler d'urgence. C'est à propos d'hier soir, et je me permets d'ajouter que ça concerne aussi le copain d'Adèle. Je n'en dis pas plus. Je vous réserve la surprise…

15

— J'en ai assez entendu pour aujourd'hui, a remarqué ma mère. Si elle veut absolument nous parler, elle rappellera.

J'étais d'accord avec elle, d'autant que la voix de Sopha laissait deviner un état nerveux délabré. Après la journée que j'avais passée, mes réserves de patience étaient épuisées. J'ai laissé ma mère étaler ses cours sur la table du salon et je me suis retirée dans ma chambre. J'étais tranquillement en train de lire quand mon portable s'est mis à vibrer. J'adore recevoir des textos avant de m'endormir. « Tout va bien ? » demandait Frédéric. « Tout va bien », ai-je répondu en guise de bonsoir. J'ai pensé au lendemain. Je n'étais plus inquiète ni excitée. Il n'y avait plus à s'en faire, nous avions gagné la partie.

Au matin, j'ai appliqué la technique maquilleuse expérimentée la veille. Une bonne couche de tout, et un solide coup de coton là-dessus.

J'avais l'impression assez amusante de me glisser dans un déguisement. J'ai constaté, à la table du petit déjeuner, que le déguisement était entré dans les mœurs. Ma mère n'a pas fait de réflexion. Elle m'a juste lancé, avant de partir :

– Il faudrait passer un coup de fil à Sopha. Le mieux serait que tu la rappelles.

– Je le ferai ce soir !

Je n'avais plus le temps de m'empêtrer dans les considérations familiales. Je n'étais pas spécialement en avance. Maquillée oui, en retard non.

Frédéric m'attendait, à son poste, souriant et peigné de frais.

– J'ai pensé à un truc, lui ai-je dit. Je vais me faire percer les oreilles.

– Bonne idée ! Moi aussi. Ça fait longtemps que j'en ai envie. On ira ensemble.

– Tu crois que c'est le moment ? Je pensais aux boucles d'oreilles parce que toutes les filles en ont. Mais toi…

– Justement. C'est le moment idéal. Personne ne pourra m'en vouloir de porter des boucles puisque je sors avec toi. Je serai juste le petit copain d'Adèle, celui qui a des anneaux aux oreilles.

– Bon, d'accord, mais seulement une oreille.

– Si tu veux. Une oreille pour commencer.

Quand nous sommes arrivés en vue de la poubelle, c'est très naturellement que je lui ai pris la main. Plus besoin de balancier, nous étions largement repérés. D'ailleurs, quand nous sommes passés devant elles, Laurène, Jessica et Aurélie nous ont aimablement salués. Nous les avons gratifiées de sourires quasi royaux.

— Tu vas vraiment devenir copine avec elles ? a grimacé Frédéric quelques mètres plus loin.

— Elles ne te plaisent pas ? Tu ne veux pas qu'elles soient les amies du couple ?

— S'il faut vraiment avoir des amis, je propose que chacun s'occupe des siens. On garde des comptes séparés.

— Facile. Avant qu'une bande de garçons te téléphone en gloussant pour te demander si tu sors avec moi, je serai copine avec tout l'établissement...

— Ce n'est quand même pas de ma faute si les garçons sont inhibés...

Les garçons, justement, avaient une façon assez bizarre de se comporter. Au lieu de nous regarder fixement, ou de se chuchoter frénétiquement à l'oreille, ils regardaient par terre, ils remontaient le col de leurs vestes, ils se parlaient d'une voix trop forte pour ne rien dire. Ils avaient une manière très voyante de faire ceux qui n'avaient rien vu. On aurait dit une bande de poulets en pleine parade.

– Tu as remarqué un changement ? ai-je demandé à Frédéric à l'heure de la cantine.

– Oui. Ils ne font plus semblant de me bousculer par hasard. On dirait qu'ils m'évitent.

– Et c'est mieux ?

– Beaucoup mieux. Tant qu'ils ne m'invitent pas à faire du foot, de la musique ou un jeu de baston.

Pour conforter sa nouvelle position, Frédéric s'est abstenu de tout commentaire en cours de français. Pourtant, il y avait dissection de Chateaubriand, un morceau plein de mots et bourré d'imparfaits du subjonctif. Les questions du prof s'écrasaient dans un silence de mort. Et, en dépit de ses coups d'œil désespérés, Frédéric restait obstinément muet. Je savais ce qu'il lui en coûtait. Mais il s'est tenu héroïquement à carreau.

– Qu'est-ce qui se passe, monsieur Lin ? s'est inquiété le prof à la sortie du cours. Vous avez des soucis ?

– Merci monsieur. Je craignais que vous n'eussiez rien remarqué. Ne vous inquiétez pas. Ce sont des soucis temporaires.

Le temporaire était parti pour durer. Mais ça, pauvre chéri, il ne le savait pas encore…

16

En rentrant, je n'ai pas remarqué le voyant du répondeur. Il clignotait à qui mieux mieux. Mais, même si je l'avais remarqué, je ne crois pas que j'aurais écouté les messages. J'avais autre chose à faire, à commencer par une sieste. J'ai filé dans ma chambre et je me suis allongée. « Effort d'accord, réconfort d'abord », c'est ma règle en fin de journée.

Ce n'est pas l'ordinaire retour de ma mère qui m'a sortie de la catalepsie. Mais un violent coup de sonnette. J'ai couru ouvrir, le cœur battant.

— Qu'est-ce qu'il a, le téléphone ? a rugi Sopha en entrant dans l'appartement. On vous a coupé la ligne ?

J'ai bredouillé. Pardon, excuse, pas le temps, trop de travail, ma scolarité, celle de ma mère… J'aurais aussi bien pu parler au mur, elle ne m'écoutait pas.

— Je me tue à essayer de rendre service, et ma seule récompense, c'est le silence ! Ce n'est quand même pas difficile de décrocher le téléphone… Non ?

Je l'ai laissée s'époumoner quelques instants avant de la ramener à la raison.

– Tu veux quelque chose à boire ?

– Pas de refus. Tu as du café ?

– Je vais t'en faire un.

– Bien aimable. Tu te souviens de Brian ? Mon copain photographe ? Figure-toi qu'il est très content de sa photo. Tellement content qu'il aimerait pouvoir l'utiliser. Seulement, il lui faut ton accord, et celui de ta mère puisque tu es mineure. Même chose pour ton ami. À ta place, je dirais oui. Ça ne te coûte pas grand-chose et c'est flatteur.

Je regardais le filet de café goutter dans la cafetière.

– Qu'est-ce que tu en penses ?

– Moi ?

– Oui toi ! Tu as bien un avis sur la question ! Tu n'es pas contente de faire bon effet sur une photo ?

– Si… Bien sûr que si…

La vérité était que je n'en avais rien à faire, ni de la photo, ni de Brian, ni de moi sur la photo de Brian. Je voulais juste que ma mère rentre pour que Sopha s'explique avec elle. Elle m'avait dit que je pouvais compter sur elle. Pas plus tard que la veille. Reviens, maman ! C'est maintenant ou jamais !

Sopha buvait son café brûlant en me lançant des regards circonspects. Moi, je prenais tout mon temps pour essuyer quelques gouttes de café sur l'évier, pour sortir le sucre, puis le ranger, sortir le lait, puis le ranger, chercher des petits gâteaux au fond du placard… N'importe quoi pour avoir l'air occupée. Nous en étions au silence le plus complet et j'étais à bout d'initiatives idiotes quand, enfin, j'ai entendu le bruit miraculeux de la porte qui s'ouvre.

— Il y a quelqu'un ? a fait la voix de maman. Adèle ?

— Anne-Lo ! a crié Sopha en bondissant de sa chaise. Enfin !

Maman est entrée dans la cuisine et m'a lancé un regard inquisiteur. J'ai levé les sourcils et écarquillé les yeux en jetant des coups d'œil du côté de Sopha. Avis à toutes les bases… Alerte maximum…

— Qu'est-ce qui se passe ? a fait maman.

— Ta fille est déconcertante ! Je lui apporte une nouvelle qui ferait bondir de joie n'importe quelle adolescente. Et en remerciement, elle me fait la tête. Depuis une demi-heure…

— Je ne fais pas la tête.

— Si ! Tu fais la tête ! Écoute ça, Anne-Lo :

Brian propose d'utiliser la photo d'Adèle et de son copain. Tu connais Brian, c'est un brave type. Il va faire les choses dans les règles. Les gosses seront payés. Bref, une carrière de modèle s'ouvre à ta fille. On peut même dire qu'on la lui offre sur un plateau. Et elle n'est pas contente.

– J'ai pas dit ça.

– Tais-toi ! Je parle à ta mère ! Sans compter que ça rend service à Brian. « Je ne trouverai pas mieux que ces deux-là », je te répète mot pour mot ce qu'il m'a dit. Explique-lui, à ta fille, que c'est une chance qui ne se présente qu'une fois dans la vie, d'être choisie par un grand photographe, et de gagner un peu d'argent de poche en passant. Dis-lui, toi ! Moi, elle ne m'écoute pas.

Maman a ôté son imper.

– Il reste un peu de café ? a-t-elle demandé. Il va falloir que tu m'expliques tout ça calmement, Sopha. Parce que jusque-là, je n'ai pas compris grand-chose…

– Je suis obligée de rester ? ai-je fait. C'est pas que je m'ennuie, mais j'ai contrôle de maths demain.

– File, m'a dit maman.

– C'est ça, a approuvé Sopha, file. Allez, ouste…

17

Les révisions de maths ne sont pas éternelles. J'ai fini par sortir de ma chambre pour rejoindre la cuisine. Ma mère et ma tante avaient substitué la bière au café et, si elles parlaient toujours de Brian, j'étais sortie du champ de leurs préoccupations. Pour le peu que j'en ai entendu, elles étaient lancées dans une analyse de sa vie sentimentale, entièrement construite sur des racontars de Sopha. Comme quoi il n'y a pas que les collégiens pour être obsédés par les amours de leurs congénères.

– Te voilà ! a fait ma mère en s'interrompant.

Cette hypocrite, on aurait dit qu'elle n'attendait que moi.

– D'après ce que me dit Sopha, c'est assez simple.

– Tu me rassures.

– Écoute ta mère, s'il te plaît, a dit Sopha. Puisqu'elle, au moins, tu l'écoutes.

– Donc, Brian travaille pour une agence de publicité qui a reçu une commande d'un ministère. C'est pour une campagne auprès des jeunes. Il a besoin d'un portrait d'adolescents, et il nous demande notre autorisation pour se servir de la photo qu'il a prise ici. Il vous paiera, bien sûr.

Deux questions me sont venues à l'esprit : « Est-ce que tout le monde va nous voir ? » et « Payé oui, mais combien ? ». Mais j'ai d'abord demandé :

– Qu'est-ce que tu en penses ?

– Qu'un peu d'argent de poche n'a jamais fait de mal à personne. Et que je suis assez fière que ma fille magnifique donne lieu à de magnifiques photos. Si tu es partante, je donne mon accord.

– Oui, mais… tout le monde va nous voir ?

– Tu en as déjà vu, toi, des campagnes de ministères ? Tu te souviens d'une seule image ?

J'ai été obligée de reconnaître que non. Un ministère, ce n'est pas comme une marque de vêtements. Côté publicité, les choses sont infiniment plus modestes. En gros, on ne voit rien.

– Excuse-moi de te poser la question, Sopha, c'est peut-être impoli… Mais… c'est payé combien ?

– Je ne connais pas les tarifs. Mais Brian m'a dit que tu pourrais t'offrir de belles vacances.

– De belles vacances au camping à la ferme ?

– Parce que tu crois que c'est gratuit, le camping ?

– Ne sois pas mesquine, Adèle, a dit maman. Si Brian dit de belles vacances, ça veut dire de

72

belles vacances. Tout ça sans rien faire, ça fait rêver…

Tout cela, justement, me semblait complètement irréel. Cette photo, je ne l'avais jamais vue. Une campagne d'information, je ne savais pas ce que c'était. Information, oui. Mais campagne ? Quant au ministère, à part rimer avec mystère… Même les vacances étaient abstraites. Quelqu'un allait me donner des sous pour aller bronzer sur la plage ? On nageait dans la folie douce. Il était bientôt l'heure de dîner, j'en avais marre de cette discussion absurde, je voulais que tout le monde soit content et me fiche la paix. J'ai cédé.

— Si maman est d'accord, moi aussi, ai-je lâché. Après tout, cette photo, on ne la verra jamais.

— Cette belle photo, a corrigé Sopha. Il faut que tu en parles à ton ami.

— Demain, j'ai dit. Maintenant, j'ai faim.

Sopha est restée dîner avec nous. Pour le reste de la soirée, la conversation a porté sur les souvenirs d'enfance des deux sœurs. Elles sont gentilles mais elles radotent. Elles adorent ressasser les mêmes vieilles histoires. À force, je les connais par cœur. Je me suis couchée tôt.

— Si c'est payé, je suis content, a dit Frédéric le lendemain matin. Je t'avoue que je n'aurais jamais pensé partir en vacances grâce à ma beauté. C'est inespéré.

– Ne te monte pas la tête, c'était le soir, on ne verra pas grand-chose sur la photo.

– J'espère qu'on devinera quand même quelque chose de ta splendeur. Dommage qu'il n'ait pas attendu qu'on ait les oreilles percées…

– C'est dingue ce que tu peux être coquet.

– Il faut bien que quelqu'un se soucie de notre allure. Si je t'attends, on restera toujours deux mochetés anonymes.

Il m'énervait, à faire le malin. Je lui ai boxé le bras jusqu'à ce qu'il s'enfuie en courant. Il a fallu que je le poursuive en faisant de grands moulinets avec mon sac. Nous avions oublié que nous étions à proximité du collège. En pleine zone d'observation. Mais aucune importance. Tout le monde nous a regardés passer avec un sourire entendu. Tenter de s'assommer à coups de sac pouvait donc aussi être interprété comme une démonstration valable de l'amour…

18

Le problème, avec les histoires d'amour publiques, est que si tout le monde est ravi qu'elles commencent, tout le monde attend avec impatience qu'elles finissent. Dans le fond, ce qui intéresse la foule, ce n'est pas tellement l'amour. C'est l'histoire. Il faut qu'il se passe sans cesse quelque chose pour entretenir l'intérêt. En trois jours, nous en avions déjà fait beaucoup. Après le balancier des mains, la poursuite à coups de sac avait eu son petit succès. Les spectateurs étaient globalement satisfaits. Mais ils voulaient de nouveaux épisodes.

En guise de remerciements pour la performance, à moins que ce soit pour entretenir le suspense, les gens se montraient étrangement sympathiques avec nous. D'une certaine façon, nous étions devenus attirants. Je le remarquais aux regards intéressés qu'on me lançait, tant du côté des filles que du côté des garçons (même s'ils étaient d'une nature un peu différente, plutôt envieux d'un côté, plutôt curieux de l'autre).

– C'est quand même bizarre, ai-je dit à Frédéric. Je n'ai rien changé, et, par la seule magie de toi, je suis devenue visible.

– C'est juste qu'ils se demandent tous ce que je peux bien te trouver. Après tout, si tu as été capable de me séduire, c'est que tu dois bien avoir un petit quelque chose. Ils aimeraient savoir ce que c'est. Et si possible se l'approprier. Ce charme caché fait de toi une fille irrésistible.

– Si je suis ta logique, on peut te considérer comme un type absolument craquant…

– Je sais que ça peut surprendre, surtout une fille aussi séduisante que toi, mais c'est un fait. Je suis une bombe. Et avec un peu de chance, j'embrasse bien.

– Arrête de dire tes trucs répugnants ou je te plaque !

– Tu aurais tort. Ce serait une terrible régression. Comme de redevenir grenouille après avoir été princesse.

Notre notoriété étant suffisamment établie, Frédéric s'est senti libre de redevenir lui-même en cours de français. Il s'est notamment illustré en récitant des vers d'un poème qui n'était même pas dans le manuel. Quelque chose comme : « Rien, cette écume, vierge vers / À ne désigner que la coupe / Telle loin se noie une troupe / De sirènes mainte à l'envers. » C'était comme une langue étrangère. Joli mais spécial.

— Monsieur Lin, a fait le prof d'une voix mourante, vous citez Mallarmé…

Normalement, après un coup comme ça, la moitié de la classe aurait dû le mépriser, et l'autre le détester. Il l'avait bien cherché. Seulement, il faut savoir que, chez un type séduisant, tout séduit. C'est atrocement injuste mais c'est comme ça. Un tee-shirt déchiré, une scarification hideuse, un sac à dos mauve pâle, les vers incompréhensibles d'un poète barbu… Tout lui profite. L'individu séduisant n'est jamais pris en défaut. Car il lance la mode. Ce jour-là, chaque garçon de cette classe aurait rêvé de connaître ne serait-ce que trois vers de La Fontaine pour pouvoir faire le malin. Encore eût-il fallu qu'ils les apprissent, aurait dit Frédéric.

Pour un type qui avait passé la plus grande partie de son existence écrasé sous le poids de sa timidité, il était en train de prendre une revanche flamboyante. Il avait suffi d'un encouragement pour lever ses inhibitions et le faire paraître pour ce qu'il était, dans le fond, et sans doute depuis toujours : un hystérique complet.

— Frédéric, ai-je dit sur le chemin du retour (nous avions encore les doigts entrelacés), je ne sais pas si tu as remarqué que tu es en train de changer. Et pas seulement dans les yeux des autres.

– Je sais. Et je sais à qui je le dois. Merci, Adèle.

– Non… Attends. Je voulais juste te dire de faire gaffe. Je ne sais pas si j'ai très envie que tu deviennes quelqu'un d'autre… Moi, j'aimais bien le vieux Frédéric, celui de la maternelle…

– Mais je suis le même ! J'apprenais les albums par cœur en petite section, tu te souviens ?

– C'est vrai. Excuse-moi. Je me prends la tête pour rien.

Pour rien… Si j'avais su ce qui nous attendait, non seulement je me serais pris la tête, mais je l'aurais cognée contre le mur jusqu'à ce qu'elle explose…

19

À ce stade de mon histoire, on peut considérer que le papillon qui battait de l'aile a réussi son coup. D'effet inattendu en conséquence absurde, je me retrouve à peu près socialisée. Les choses pourraient s'arrêter là. Le problème, c'est qu'on n'interrompt pas un phénomène physique en marche.

J'ai donc laissé Frédéric en bas de chez lui et j'ai pris l'ascenseur en chantonnant. Chez moi, tout était calme. Paix luxueuse des appartements vides. À moi ma chambre, mon lit, ma sieste…

– Adèle ? C'est toi ?

La voix venait du salon. J'ai jeté un coup d'œil par la porte vitrée. Quelqu'un était assis dans le canapé. Et ce quelqu'un passait nerveusement la main dans ses cheveux. Ma mère. À cette heure, elle aurait dû tenir la permanence dans son petit bureau à l'agence bancaire. Qu'est-ce qu'elle fabriquait à se recoiffer dans le canapé du salon ?

– Ça va ?

– Très bien, chérie. Les cours sont déjà terminés ?

– Le jeudi, c'est quinze heures.

– Ah bon ?

Elle était stupéfaite… Le manque d'habitude. Quand on ne rentre jamais avant dix-neuf heures, on n'a pas forcément l'emploi du temps de sa fille en mémoire.

– Bonjour Adèle, a fait une autre voix.

Un autre quelqu'un était assis dans le canapé, à demi caché dans le dos de ma mère. Ce quelqu'un redressait le torse et avançait le cou pour me sourire de loin. Une tortue. Une tortue dans une chemise à carreaux. Brian.

– Je vous dérange ?

– Pas du tout ! a fait ma mère en bondissant du canapé. Justement, on t'attendait !

Deux mensonges coup sur coup. Et des joues rouge tomate. Elle mentait beaucoup et elle mentait mal.

– Brian est venu avec les contrats…

La bonne excuse ! Pathétique. Grotesque. Je n'ai pas pris la peine de répondre. Je suis allée déposer mon sac dans ma chambre. Quand je suis revenue, ils s'étaient extirpés des coussins. Ils étaient décemment assis à la table de la cuisine. Brian avait gardé son sourire inoxydable, et ma mère une légère rougeur aux pommettes.

– Tout le monde est ravi, a-t-il remarqué en tapant de l'index sur ses contrats. L'agence et le client.

– L'agence et le client ?

– Brian veut dire les publicitaires et le ministère, a répondu patiemment ma mère, un peu comme si j'étais demeurée.

Elle se prenait pour son assistante ou quoi ? J'avais une horrible envie de les envoyer sur les roses, tous les deux, et de ne rien signer du tout. Mais je n'étais pas de taille à affronter leurs discussions interminables et autres récriminations.

– Passe-moi un stylo et dis-moi où je signe…

– Tu ne veux pas lire avant de signer ? a demandé Brian.

– Pourquoi ? De toute façon, Maman est obligée de protéger mes intérêts. C'est la loi. Je suppose qu'elle a eu le temps de tout lire dans le canapé…

– Ce que tu peux être désagréable ! a remarqué ma mère.

Désagréable mais pas collante. J'ai remis le capuchon et rendu le stylo à Brian.

– Vous m'excuserez mais j'ai du travail. Salut.

– Salut Adèle, a fait Brian. Je te laisse un exemplaire pour Frédéric. C'est assez urgent.

– C'est ça. Laisse-le.

Une fois dans ma chambre, je me suis rendu compte que j'avais fait le mauvais choix. J'étais trop énervée pour dormir, ou lire, ou me concentrer. En situation normale, je me serais installée devant la télé en attendant que ça s'apaise. Mais l'appartement était occupé par une puissance étrangère et il n'était pas question de partager le terrain. Résultat : j'étais bouclée dans mon trou comme une prisonnière. Une seule solution : l'évasion.

J'ai pris mes clés et mon téléphone, je suis sortie. Le contrat était resté sur la table, je l'ai attrapé au passage. J'aurais adoré éviter ma mère et Brian. Malheureusement, sitôt débarrassés de moi, ils s'étaient précipités dans leur canapé maudit. Impossible de traverser l'appartement sans les voir.

– Je vais chez Frédéric !

– Chez Frédéric ?

Elle avait repris sa petite voix étonnée. Pour cacher son soulagement, je suppose. Ma mère était littéralement collée à Brian, la cuisse droite carrément *aimantée* par sa cuisse gauche. Une femme de son âge. Et mère d'une fille par surcroît. J'ai claqué la porte derrière moi. J'en avais assez vu…

20

– Allô ? Frédéric ! Je suis en bas de chez toi. J'ai le contrat. Je peux monter ?

– Pas la peine ! Attends-moi ! Je descends ! J'étais tellement exaspérée que les larmes me montaient aux yeux. J'avais besoin de réconfort. Entrer dans un appartement familial normal, être accueillie par des parents normaux, me voir offrir un verre de jus d'orange par une mère normale… Et oublier un instant la mienne et ses manigances luxurieuses. Mais c'était toujours pareil : Frédéric venait chez moi sous n'importe quel prétexte, et je n'étais jamais invitée chez lui. Je n'avais jamais vu l'endroit où il vivait. Jusque-là, j'en avais pris mon parti. Mais ce soir, le déséquilibre me sautait aux yeux. Est-ce que je n'étais pas assez bien pour entrer chez lui ? Qu'est-ce que j'avais de si repoussant ?

– Qu'est-ce qui se passe ?
Frédéric me regardait avec inquiétude.

– Qu'est-ce qui ne va pas ?

– Rien ne va. Et j'ai nulle part où aller…

J'ai senti une larme glisser le long de ma joue et atteindre mes lèvres. Frédéric m'a prise dans ses bras et m'a serrée contre lui, exactement comme nous l'avions essayé dans ma chambre. Pendant quelques secondes, j'ai regretté que nous ne soyons pas devant le collège et que personne ne puisse en profiter. Puis je me suis laissée aller et j'ai reniflé dans son cou.

– Ma mère sort avec le photographe. J'en suis sûre.

– C'est pas si terrible. C'est pas comme si t'avais un père…

– Mais elle n'est pas toute seule. Elle m'a, moi. Et elle est trop vieille, ce vieux Brian aussi, c'est dégoûtant…

– Peut-être qu'ils font comme nous ? Semblant ?

Frédéric m'avait lâchée et me regardait en souriant.

– Tu devrais lui demander.

C'était une idée agréable, et j'étais déjà un peu moins triste. Mais pas moins furieuse. Comme si, en refluant, la tristesse avait laissé la place à la colère.

– Et toi ?

– Quoi, moi ?

– Pourquoi tu ne m'emmènes jamais chez toi ? Je te fais honte ?

Sur le visage de Frédéric, le sourire s'est effacé. Ses yeux ont quitté les miens et il a regardé par terre.

— Ce n'est pas ça…

— Qu'est-ce que c'est alors ?

Il n'a pas répondu. Il a soupiré. Puis il a relevé les yeux.

— Tu veux vraiment venir chez moi ?

Sincèrement, je n'en étais plus très sûre. Il y avait quelque chose de tellement sérieux dans ses yeux, de tellement grave, que j'aurais voulu revenir en arrière, et ne lui avoir jamais rien demandé.

— Après tout, c'est normal, a continué Frédéric sans attendre de réponse. Je viens chez toi, tu viens chez moi. Je vais remonter prévenir ma mère. Tu attends cinq minutes et tu montes. C'est au cinquième. La porte à droite.

Il a tourné le dos et il est rentré dans l'immeuble. Je n'avais pas dit un mot. Les cinq minutes qui ont suivi ont duré l'éternité. C'est lui qui m'a ouvert la porte.

— Entre, m'a-t-il dit.

L'appartement était tout petit et très encombré. Sous la fenêtre, on avait installé un évier et une cuisinière. En face, contre le mur, il y avait une télé. Et sur la table, au centre de la pièce, une dame travaillait sur une machine à coudre. Elle s'est levée quand je suis entrée. Elle s'est avancée vers moi et m'a tendu la main. Je l'ai reconnue. Je l'avais aperçue au grand magasin, le jour du battement d'ailes.

– Ma mère, a dit Frédéric.

Puis il a prononcé quelques mots en chinois, au milieu desquels j'ai entendu mon prénom.

– Bonjour mademoiselle, a dit sa mère.

Elle parlait avec un accent qui faisait sonner ses mots comme un chant d'oiseau. Elle s'est inclinée et je me suis inclinée aussi. Puis elle a croisé les mains devant elle et elle est restée à nous regarder tous les deux avec un sourire fixe. Tandis que j'étais là, immobile, mes yeux enregistraient le décor. Des vêtements entassés dans des sacs, des journaux en caractères chinois en pile sur un tabouret, un calendrier, une horloge, deux statuettes de vaches qui se souriaient, et des objets partout, posés sur des étagères, sur le sol, sur les chaises. Enfin elle est allée se rasseoir. Elle s'est remise au travail. Ses mains allaient à toute vitesse sur le tissu qu'elle glissait sous l'aiguille de la machine.

– Mon père rentre tard, a dit Frédéric. Il travaille dans une maroquinerie. Viens, je vais te faire visiter.

– C'est pas obligé.

– Maintenant, si…

21

Une salle de bains minuscule, et une petite machine à laver en plastique bleu posée dans le bac de la douche. Une chambre à coucher large comme un placard, juste assez grande pour y déplier le canapé-lit des parents. Et la chambre de Frédéric, la meilleure pièce de l'appartement. Le bureau, l'ordinateur, une armoire en tissu, le lit aux draps soigneusement tirés. Dans un coin, un coffret rouge et or portant des photos de famille et des bâtons d'encens à demi consumés.

– Comme l'appartement est petit, a dit Frédéric, l'autel des ancêtres est dans ma chambre. L'inconvénient, c'est l'odeur de l'encens. L'avantage, c'est que je ne suis jamais très loin de mes racines.

Nous sommes sortis et il a refermé la porte.

– Voilà, c'est tout. C'est moins bien que chez toi, évidemment…

Sa mère était toujours penchée sur la table et la

machine piquait toujours avec un bruit métallique.

– Et pour le contrat ? ai-je demandé.

– Je vais le signer.

– Il faut que tes parents signent aussi.

– C'est ce que je te dis. Je vais le signer.

– Mais tes parents ?

– C'est moi qui signe tout.

– Toujours ?

– Ils parlent à peine le français. Alors, pour l'écrire...

Il a pris le papier. Il l'a parcouru. Et puis il a sifflé.

– Tu l'as lu ?

– Non.

– On va toucher pas mal d'argent...

– Pas mal comment ?

– Pas mal pas mal. Ça commence à trois mille euros.

– Trois mille ?

– Ensuite, tout dépend du nombre de reproductions. Tu sais ce qu'ils comptent en faire exactement de cette photo ?

– Il faudrait que je demande à Brian.

– Si tu veux... Mais pour ce prix-là, on peut aussi se taire et dire merci.

À parler affaires, l'atmosphère s'était allégée. N'aurait été le cliquetis de la machine, on aurait pu se sentir aussi à l'aise que chez moi. Mais voilà, il y avait la machine. Le travail. Les mains de sa mère courant sur le tissu. Tout ce qui faisait que l'appartement n'était pas précisément un lieu de détente pour adolescents désœuvrés.

— Tu veux rester ? a demandé Frédéric, sans que je sache s'il était sincère ou s'il se moquait de moi.

— Merci. On peut y aller. Mais je suis contente que tu m'aies amenée.

— Pas de problème. Maintenant, tu sais pourquoi c'est plus facile chez toi.

Frédéric a averti sa mère que nous sortions, du moins c'est ce que j'ai compris de leur échange.

— Au revoir mademoiselle, a dit sa mère.

— Au revoir madame, ai-je répondu et je me suis inclinée.

Une fois dehors, nous nous sommes assis sur le muret devant l'immeuble et Frédéric a signé le contrat. Une fois pour lui et une pour son père.

— Tu veux que je te raccompagne chez toi ? a-t-il enfin demandé en me tendant le papier.

Il avait son petit ton protecteur, mais je me sentais tout à fait de taille à retrouver ma mère. Même si elle n'était pas seule.

— C'est gentil mais non. Ça va mieux. Je vais me débrouiller toute seule comme une grande.

Quand je suis rentrée, l'appartement était vide. Plus personne dans le canapé, ni dans la cuisine.

Ils avaient dû me trouver odieuse. Ils avaient fui. Ce n'était pas plus mal. Je n'étais pas en état de faire la conversation. J'avais trop de choses à penser.

Il ne s'était pas passé deux heures depuis que j'étais sortie du collège et ma vie était cul par-dessus tête. D'une certaine façon, je venais de perdre les deux personnes que j'aimais le plus au monde. Ce n'est pas qu'elles avaient disparu, c'est qu'elles ne ressemblaient plus du tout à celles que je connaissais pas plus tard que ce matin. Ma mère inébranlable, pas toujours très drôle mais parfaitement fiable, s'était transformée en une femme fantaisiste et ébouriffée qui se roulait dans les canapés avec des inconnus. Mon meilleur ami, le sage et le studieux Frédéric, toujours tiré à quatre épingles, était devenu faussaire bilingue et prêtre d'un autel des ancêtres. Mais moi-même, à bien y réfléchir, la souillonne Adèle, n'avais-je pas été changée, en l'espace d'un après-midi, en petite amie populaire et maquillée d'un garçon de sa classe ?... Fallait-il que tout évolue sans cesse, et à cette vitesse ? Était-ce cela, ma vie ? Un Space Mountain ?...

22

— Adèle, il faut qu'on parle, m'a dit ma mère en entrant dans la cuisine.

D'un geste martial, elle a balancé son sac sur la table. J'étais mélancoliquement assise devant la porte ouverte du frigo. Je me demandais ce que je pourrais encore ingérer sans vomir. Un petit machin pour calmer mon désarroi. Une compote peut-être ?

— Tu te poses sûrement des questions sur la présence de Brian dans notre appartement…

Horreur. Elle était partie pour déballer toute son histoire et j'allais être forcée de l'écouter. De la féliciter, qui sait.

— Dis-moi juste que vous faites semblant et on n'en parle plus.

— Si tu ne veux pas m'entendre, je me tairai. Mais il faut quand même que tu saches…

— Rien du tout !

— Si ! Il faut que tu saches que nous nous sommes

trouvés grâce à toi, Brian et moi. Sans ta petite virée avec Sopha, sans cette photo qui nous a donné l'occasion de nous revoir, je ne crois pas que...

— Eh bien voilà ! Tout est de ma faute ! Frédéric qui se prend pour une star de cinéma et ma mère qui se met en ménage, c'est moi, et encore moi !

— Adèle, par pitié ! Ne le prends pas mal ! Brian t'aime beaucoup...

— Faudrait pas qu'il s'emballe... Les petits gros dans une chemise à carreaux, ce n'est pas mon genre.

— On ne peut pas parler avec toi...

— C'est ce que je disais. Ne me parle pas. Surtout.

— Très bien, a fait ma mère d'un air résigné. Je suppose que tout est normal. On doit pouvoir trouver ton cas dans les œuvres complètes de Françoise Dolto.

— Excuse-moi, c'est plutôt ton cas que le mien. Moi, je ne sors avec personne.

— Fiche le camp, a crié ma mère. Fiche le camp ou c'est moi qui m'en vais !

J'en avais assez de me réfugier dans ma chambre. J'ai profité de la vacance du canapé pour m'effondrer devant la télévision.

C'est là que ma mère est venue me retrouver, portant sur chaque main ouverte une large part de pizza. J'ai pris la mienne sans remercier. Elle n'a rien dit. Elle s'est assise à côté de moi. Elle n'a pas demandé à changer de chaîne. Pourtant, c'était l'heure des infos et je regardais les Simpson.

Tout était redevenu normal. Ma mère et moi, dans notre canapé privé, devant notre poste de télévision, mangeant notre pizza. Si elle passait la soirée avec moi, c'est qu'elle me préférait à tous les Brian du monde. Ou que le sien avait aussi quelqu'un à la maison… Pauvre petite maman. Déchirée entre une fille tyrannique et un photographe en forme de montgolfière. Je l'ai observée du coin de l'œil. Elle regardait bravement la télé en mangeant sa pizza. Son chemisier était maculé de sauce tomate. Ses cheveux tombaient en mèches autour de sa figure. Elle n'était pas si vieille. Elle avait encore droit à une petite part d'amusement personnel dans la vie. Et si son amusement s'appelait Brian, qu'est-ce que j'y pouvais ?

– Maman… C'est pas grave…

– Je sais chérie. Toutes les filles ont des accrochages avec leur mère.

– Non. Je veux dire : ce n'est pas grave, Brian et toi. Dans le fond, je m'en fiche. Si tu veux sortir avec lui, sors avec lui.

– Oh, ma chérie ! a soupiré maman.

Et elle a laissé tomber un gros morceau d'artichaut sur ses genoux.

– J'ai le contrat de Frédéric, ai-je dit pendant qu'elle écrasait consciencieusement son artichaut sur son pantalon à l'aide d'une serviette en papier.

– Déjà ?

– Je suis allée chez lui. J'ai vu sa mère.

– Ah bon ?

Elle contemplait tristement son pantalon. Il était fichu.

– C'est tout petit chez lui. Sa mère travaille à la maison. Elle fait de la couture. Et elle ne parle pas français.

– Et alors ?

– Alors quoi ? Il ne m'a jamais rien dit !

– Qu'est-ce que tu voulais qu'il te dise ?

– Je ne sais pas, moi... Je suis quand même sa meilleure copine... Sans compter qu'on sort ensemble maintenant, même si ce n'est pas vrai...

– Le meilleur moyen de garder ceux qu'on aime, a dit sentencieusement ma mère, c'est parfois de ne pas tout leur dire. Se taire peut être une marque de respect. Ou un mur de défense.

Elle avait l'air tellement concernée que je me suis méfiée.

– Tu parles pour toi, là, ou quoi ?

Elle n'a pas répondu. Elle a attrapé la zappette.

– Ça t'ennuie si je change de chaîne ? Juste pour la fin des infos...

23

Les pires moments de l'existence sont parfois suivis d'accalmies trompeuses. J'ai ainsi vécu
une quinzaine de jours paisibles, dans l'harmonie
familiale et amicale. Si ma mère fréquentait Brian,
elle avait le bon goût de le cacher. Quant à Frédéric, il n'avait pas l'air de m'en vouloir de ma
perquisition chez lui. D'une certaine façon, il
semblait même soulagé. Mes lendemains chan-
taient et j'étais d'excellente humeur. Jusqu'à ce
matin, qui avait pourtant commencé comme le
plus beau des matins. À mon réveil, un rayon de
soleil dansait entre mes rideaux. Ma mère débau-
chée me semblait idéale, et mon fiancé bilingue
parfait. Même l'ascenseur matinal était mon ami.
Il me portait en hoquetant vers un avenir radieux.
Rétrospectivement, je me dis qu'il aurait pu aussi
bien tomber en panne entre deux étages.

Le travailleur Frédéric m'attendait en souriant,
la main déjà prête à attraper la mienne. J'avais le

sentiment régressif et moelleux d'être de retour au CP. Bref, nous étions joyeusement partis pour une nouvelle journée d'études… Quand les choses se sont mises à débloquer.

À l'entrée du collège, rien n'avait sensiblement changé. Filles et garçons étaient toujours agglomérés en grappes bruissantes devant le portail. Ils bavardaient toujours avec animation, ne s'interrompant que pour jeter de brefs regards aux nouveaux arrivants. En situation normale, nous aurions traversé la foule cordiale et distraite, avant de nous fondre dans le flux.

Mais la situation n'était pas normale. Au moment où nous sommes entrés dans leur champ de vision, brusquement, les groupes se sont tus. On s'écartait devant nous. Une haie se formait au fur et à mesure que nous avancions. Fini les regards mollement bienveillants. Ils avaient été remplacés par des yeux stupéfiés. On nous dévisageait. Un silence assourdissant nous accompagnait.

– Qu'est-ce qui se passe ? a murmuré Frédéric.

– J'en sais rien.

– J'ai l'impression désagréable d'être entré dans un monde parallèle.

– Tu n'es pas tout seul, je te rassure. On est au moins deux à avoir fait le grand saut.

Sur ma gauche, j'ai aperçu Laurène. Je lui ai

adressé un sourire de noyée. Elle m'a répondu par une grimace apitoyée. Et elle a rougi jusqu'à la racine des cheveux.

– Frédéric, ai-je dit, prépare-toi. Dans cinq minutes, ils se jettent sur nous et ils nous découpent en morceaux.

Il s'est tourné vers moi et il a pointé son index en direction de mon nez.

– Qu'est-ce que tu as fait ? Avoue !

– J'ai rien fait ! Et d'abord : pourquoi moi ?

– Il faut bien que quelqu'un ait fait quelque chose, et puisque ce n'est pas moi…

Dans la salle de classe, un bourdonnement déplaisant a rempli tout le silence. D'ordinaire, l'ambiance est plutôt aux rires aigus et aux cris incontrôlés. Là, on aurait dit que chacun s'efforçait de parler à voix basse pour ne pas être entendu. Entendu de nous, ça va sans dire. J'attendais avec impatience que la prof entre dans la salle. Comme si l'arrivée d'une personne normale dans le bocal d'agités pouvait remettre de l'ordre dans le cours des choses…

Mme Barbot a franchi la porte, elle a jeté son cartable sur le bureau, et elle a tourné son visage attentif… vers nous. Elle est restée quelques secondes à nous contempler en souriant, comme si nous étions les deux seuls élèves présents dans sa classe. Lentement mais sûrement, Frédéric a perdu son calme. Il s'est mis à jeter autour de lui des regards affolés. Il avait l'air du type qui vient de sortir de la capsule et qui hurle tout seul dans l'espace. Enfin, après une très longue période d'observation, elle a bien voulu commencer le cours. Nous étions sauvés. Pour cinquante minutes.

La sonnerie, qui était d'habitude à mes oreilles comme une libération, a retenti comme une condamnation. Le temps de changer de salle, il faudrait affronter à nouveau la foule inquiétante.

– J'ai pas envie de sortir d'ici, ai-je glissé à Frédéric en rangeant mes affaires dans mon sac.

– Ça tombe bien, a répondu Frédéric. Barbot non plus.

En effet, au lieu de filer comme à l'ordinaire, son cartable sous le bras, elle était toujours à son bureau, les bras croisés.

– Adèle ! a-t-elle lancé comme j'arrivais presque à la porte.

– Oui ?...

24

Je suis revenue devant le bureau. Profitant de ma surprise, ce traître de Frédéric s'était enfui. Il était déjà dans le couloir. Libre. À l'intérieur de moi, mon cœur s'agitait comme un hamster qu'on vient d'attraper dans la main. Et je ne savais même pas ce que je redoutais…

– Alors, Adèle, a fait Barbot avec ce sourire très large qu'affectent les adultes quand ils espèrent dissimuler des sentiments troubles. Je suppose qu'il faut vous féliciter ?

– Je veux bien, madame, ai-je fait platement. Même si je ne vois pas bien pourquoi.

– Allons, allons. Ne faites pas la modeste. Vous êtes splendide. Et je ne parle pas de votre ami Frédéric ! Je n'attendais pas ça de vous. Enfin, je veux dire, pas en priorité… Vous voilà devenus deux petites célébrités dans notre collège !

Comment Barbot savait-elle que nous sortions ensemble ? Comment pouvait-elle être au courant ?

Et pourquoi faisait-elle tant d'histoires ? Elle avait perdu la boule, elle aussi. Elle ramassait son cartable et m'adressait une dernière fois son sourire mi-figue, mi-raisin.

– Vous êtes raisonnables, tous les deux. Aucun risque que tout ça vous monte à la tête, n'est-ce pas ?

– Non, madame, je crois pas…

Quand je les ai rejoints, ils étaient tous en salle de physique et ils avaient enfilé leurs tabliers. Debout derrière la paillasse, Frédéric regardait fixement le tableau. Sur le grand rectangle blanc, quelqu'un avait écrit, au feutre rouge :

« L'amour est un don. Le contraceptif, un choix. »

Parmi nos camarades cinglés, plus personne ne nous regardait. Ils avaient les yeux vissés au tableau… Et ils étaient immobiles. Une immobilité pour ainsi dire chargée d'électricité. À bloc. Il suffisait d'appuyer sur l'interrupteur pour que tout explose. C'est ce misérable Dambert, avec son esprit d'à-propos, qui s'est chargé du geste fatal. Il a fait irruption dans la classe, blouse ouverte, cartable béant, en bredouillant :

– En retard… Principal… Dépêchez… Ouvrez les classeurs…

Puis il s'est arrêté, visiblement tétanisé par le calme inespéré qui régnait dans sa salle. Suivant le regard de ses élèves, il s'est retourné vers le tableau.

– Cours de physique… Pas de SVT… Prenez l'éponge, effacez-moi ça… Les classeurs, j'ai dit, plus vite que ça…

Enfin, il a extrait de son cartable un manuel délabré et il a chaussé ses lunettes.

– En titre… Crayon rouge… Écrivez… « Attirance des corps. Pourquoi le corps a-t-il un poids ? »

Et là, explosion générale. Le fou rire, réprimé depuis le début de la matinée, a éclaté d'un coup, libérant des masses et des masses d'énergie adolescente compressée. Les filles se contorsionnaient sur leurs classeurs en hoquetant. Les garçons, le visage rouge écrevisse, essuyaient leurs yeux en gémissant. Ils répétaient « Pourquoi le corps a-t-il un poids ? », « Pourquoi le corps a-t-il un poids », secoués d'irrésistibles soubresauts. La classe entière tressautait dans un torrent de pleurs de joie. Deux personnes restaient exclues de l'enthousiasme général. Frédéric et moi. Et une troisième, qu'il serait injuste de ne pas citer : Dambert. Mais ce dernier, au lieu de ramener ses ouailles au calme et à la dignité, dardait sur nous un regard noir.

– Alors… Lin… et vous Adèle… Contents de vous ?

– De quoi, monsieur ? a tenté Frédéric.

– Oh, faites pas le malin… Désordre suffi-
sant… intolérable…, a grommelé Dambert.

Là-dessus, comme personne n'avait bougé, il a
pris le chiffon dans la gouttière et il a essuyé lui-
même son tableau.

– Suffit maintenant !… a-t-il hurlé en se re-
tournant.

Peu à peu, le rire s'est apaisé. Les visages apo-
plectiques ont commencé à dégonfler. Les classeurs se sont ouverts et les stylos rouges sont sortis des trousses.

– Je crois qu'une information essentielle nous a
échappé, a murmuré Frédéric. C'est le problème
des univers parallèles… On ne sait pas tout…

– Lin !… a rugi Dambert. On se croit tout permis… Pas de vedette dans mon cours… Silence…
Ou alors… Dehors…

– Je suis devenu mon double malfaisant, a gémi
Frédéric entre ses dents.

Là, ça n'a pas fait un pli. Dambert l'a mis à la
porte…

25

Il m'attendait dans le couloir, près de l'escalier. Quand il m'a vue arriver, il a souri. C'était un sourire courageux. Exactement celui qu'on prend quand on a une catastrophe à annoncer. L'horrible sourire du désastre.

– Me souris pas comme ça ! Tu m'angoisses !

– Calme-toi. Des raisons de t'angoisser, je vais t'en donner. Des vraies. Je suis allé chez le principal, puis en salle des profs, et j'ai ramassé quelques informations. D'abord je te confirme que nous sommes effectivement passés dans un univers parallèle. Ensuite, je vais t'apprendre deux choses utiles pour y survivre. La première, c'est que tu viens de gagner pas mal d'argent. Si tu te souviens du contrat que tu as signé il y a quelques jours, tu peux considérer que tu viens de blinder ton livret jeune… C'est plutôt une bonne nouvelle. Non ?

– Attends… Je l'ai pas lu, ce truc. Mais ça veut dire que la photo de Brian…

– Est actuellement affichée sur la moitié des Abribus de la ville. Et d'une. Et sur quelques panneaux géants habilement dispersés dans des endroits stratégiques. Et de deux. Vraisemblablement dans les autres villes, sans compter les campagnes environnantes. Et de trois. Il est enfin probable qu'elle sera déclinée sur des dépliants, des brochures et des prospectus… Attends-toi prochainement à te retrouver dans ta boîte aux lettres. C'était la seconde information.

– Alors le ministère ?…

– C'est le ministère de la Santé. Je t'annonce que tu es l'héroïne nationale de la grande campagne d'information en faveur de la contraception chez les jeunes !

– Alors, c'est ça…

– « L'amour est un don. Le contraceptif, un choix. » C'est ça.

– Je me sens toute faible… Je crois que je vais tomber dans les pommes.

– Tu ne peux pas t'évanouir, pas plus que tu ne peux vomir. Tu n'es pas enceinte. Tu es une jeune fille pleine de santé et admirablement raisonnable. Tu as un rang à tenir dans ton nouvel univers.

– Mais toi ? Toi ?

– Moi, je suis debout à côté de toi. À ce qu'on m'a dit, je te contemple avec un petit sourire admiratif. Comme dit Barbot, nous formons un très joli couple. Je peux ajouter que tous les profs me regardent comme si j'étais un fétiche tabou. Et que je regrette mon ancien univers. À fond.

– Oh Frédéric !

– Je ne te le fais pas dire, a répondu Frédéric. Sans compter qu'il reste encore une heure de cours avant la cantine…

Il a bien fallu subir l'heure d'anglais. Mais pas question de rester à la cantine. Plutôt périr que de vivre plus longtemps en univers hostile. Sans compter les questions directes qui ne manqueraient pas d'arriver. Les personnes publiques sont toujours interpellées publiquement. Frédéric a donc signé son billet d'absence de cantine. Pendant qu'il y était, il a signé le mien. Il a pris le modèle dans mon carnet de correspondance. Frédéric est un génie calligraphe. Et il n'a aucun problème moral avec les signatures parentales.

Personne n'a eu l'air surpris que nous séchions la cantine. À la porte, le surveillant nous a fait un petit clin d'œil. Le genre : je vous reconnais mais je sais rester discret. Frédéric paraissait satisfait de cette attitude modeste. Pour moi, j'avais juste envie de lui crier dessus. Comme je n'avais pas de motif valable, je me suis contentée de lui lancer un regard noir. Et j'ai lu sa réponse dans ses yeux :

– Pour qui elle se prend, celle-là ? Elle croit que c'est arrivé ?

Ce serait comme ça, désormais. Chaque fois que j'aurais envie de me montrer méchante, ou même simplement indifférente, je serais immédiatement punie. Les gens seraient en droit de penser que je suis une imbécile prétentieuse qui a pris la grosse tête. Et ils ne se priveraient pas de me le dire. Ou de me le faire comprendre. La seule personne avec qui je pourrais entretenir des relations normales serait Frédéric. Et sans doute ma mère. La pauvre. Qu'est-ce qu'elle en penserait, de tout ça ?... Nous marchions lentement, plongés dans nos pensées, quand Frédéric a crié :

— Regarde ! Là !

J'ai levé la tête. Juste au-dessus de nous, sur un panneau bordé de gris sobrement posé sur un pilier noir, notre photo s'étalait en trois mètres sur quatre...

26

Je ne sais pas ce que j'avais espéré. Qu'on ne me reconnaîtrait pas, peut-être. Que, planquée sous mon maquillage, je passerais pour une autre. Que je n'aurais pas l'air, au moins, de sortir avec Frédéric. Mais trêve de trompeuses espérances. C'était bien moi. Sous le regard couvrant de Frédéric. C'était terrible, de se découvrir en vision géante au milieu de la rue. Mais il y avait pire. Il y avait cette phrase, en grosses lettres rouges, en dessous de nous et qui disait : « L'amour est un don. La contraception, un choix. » Non seulement n'importe qui pouvait nous voir. Mais n'importe qui était invité à nous imaginer couchés dans un lit, probablement en train de souffler dans des préservatifs.

– Ma vie est finie, ai-je remarqué.

Frédéric a fait celui qui n'avait rien entendu. Sa nouvelle méthode de coaching pour partenaire traumatisée, je suppose.

— Sincèrement, a-t-il fait d'un air dégagé, tu n'es pas mal du tout. Moi, je me trouve l'air un peu bête. Mais toi, tu es vraiment mignonne…

— C'est ça ! Dis que je suis mieux en photo qu'en vrai !

— Si tu veux vraiment savoir, le sourire sophistiqué est un peu survendeur…

Je cherchais désespérément à rassembler quelques adjectifs acerbes pour lui clouer le bec, quand j'ai senti comme un chatouillis sur le coude. J'ai baissé les yeux. Deux petites créatures à grosse tête me grattaient le bras, dans l'espoir sans doute d'attirer mon attention. Leurs yeux allaient de la photo à ma personne. Quand ils se sont enfin arrêtés sur moi, un sourire extatique a éclairé leur face. L'une d'elles a frénétiquement fouillé dans son cartable dont elle a sorti un bout de buvard mangé aux mites et un stylo sans capuchon.

— Madame, ont coassé les créatures en me tendant buvard et stylo, on peut avoir un autographe ?

Soit je les envoyais balader et je brisais toute confiance en l'homme dans le cœur de deux CE2. Soit je signais leur sale buvard et j'étais ridicule. Frédéric attendait que je me décide, un sourire moqueur aux lèvres.

— Vous savez ce qu'on va faire ? ai-je fait d'un air

complice. On va lui demander de signer aussi…
Comme ça, vous aurez les deux signatures !

– Oui ! Oui ! ont glapi les créatures en sautant
de joie.

Et c'est dans cette ambiance bon enfant que
nous avons signé nos premiers autographes sous le
regard curieux des passants.

– Tu me le paieras, a dit Frédéric quand nous
avons laissé nos admirateurs au pied de l'affiche.

Et de fait, il a fallu que je lui paie un hamburger
car il n'avait pas un sou sur lui. Côté hamburger,
l'univers n'avait pas bougé d'un pouce : un double
paillasson frit au goût de carton, assaisonné de
crème blanche et sucrée. De toute façon, j'avais
l'appétit coupé. J'ai laissé mon hamburger à Frédéric, puis je lui ai proposé de manger aussi les boîtes,
puisqu'il avait l'air d'aimer ça. Nous aurions pu
nous disputer (notre première dispute de couple),
mais il était déjà l'heure de retourner au collège.

– Frédéric, j'ai dit, j'ai pas envie d'y aller. Ça
m'angoisse.

– Pourquoi ? a-t-il demandé en essuyant un peu
de crème blanche sur le dessus de sa lèvre. Tu n'as
rien fait de mal.

– Je suis ridicule.

– Et alors ? Tu es célèbre. Tout le monde par-
donne aux gens célèbres d'être ridicules. T'as déjà
regardé la télé ?

– C'est pas drôle.

– Non. Mais c'est vrai.

– Arrête d'être intelligent. Ça ne sert à rien et ça m'angoisse encore plus. Je te dis juste que je ne veux pas y aller.

Il a soupiré.

– D'accord. Mais c'est bon pour cet après-midi. Je ne vais pas te signer des billets d'absence toute ta vie.

Un groupe de lycéens qui patientait à la caisse s'est retourné à notre passage. Frédéric leur a souri avec un naturel répugnant. J'ai foncé jusqu'à la porte et je me suis précipitée dans la rue. Ils allaient finir par nous demander des autographes, eux aussi, qui sait…

Nous étions arrivés en bas de chez moi quand la panique m'est revenue. Ma respiration s'est bloquée au niveau de mon estomac et je me suis pliée en deux.

– Quoi encore ? a fait Frédéric.

– Ma mère…

– Elle est au courant, ta mère. Elle sort dans la rue. Sans compter qu'elle sort aussi avec Brian…

27

Cher petit appartement anonyme ! Lui au moins n'avait pas changé. J'étais tellement contente de ne plus être dans la rue, à la merci de mon image géante, que j'aurais volontiers embrassé le parquet. Dans la cuisine, j'ai longuement regardé les photos que ma mère dispose en puzzle sur le frigo. Moi à mon anniversaire, moi sur la plage, moi à la patinoire… Moi partout et pas un seul slogan contraceptif. Elle était là, la vraie vie. Sur le frigo. Le problème étant que l'autre, la fausse, s'étalait partout ailleurs. Dans l'entrée, le répondeur clignotait comme un enragé. Mais pas question d'écouter les messages. Des voix venues du dehors auraient fait irruption dans mon sanctuaire, et je ne savais que trop bien le genre d'informations qu'elles avaient à donner. Je ne voulais plus entendre personne, ni Laurène ni Sopha. Par mesure de précaution, j'ai supprimé la sonnerie. Pitié, ai-je pensé, et je suis allée m'allonger sur mon lit. Le sommeil est arrivé tout de suite, massif, profond, à la mesure de mes émotions. Je me suis laissé engloutir.

– Adèle ! Adèle !…

La main de ma mère me tapait doucement sur l'épaule. Sa voix avait quelque chose d'anxieux.

– Adèle ?…

Je suis restée immobile, les yeux fermés. Je voulais bien qu'elle pense que j'avais avalé sa boîte à pharmacie. Et qu'elle flippe. Chacune son tour après tout.

– Adèle !

J'ai ouvert les yeux d'un coup et j'ai crié :

– Maman !

Elle a fait un bond en arrière.

– Ce n'est pas drôle, imbécile !

– Pour toi peut-être.

Je me suis assise sur le bord de mon lit et je me suis longuement frotté les yeux, sous son regard décontenancé. Elle devait s'attendre à autre chose. Des larmes, des reproches, quelque chose en rapport avec les activités de son nouvel ami. Mais je n'avais ni le cœur ni l'envie d'entamer les hostilités. Moins on en parlerait, mieux je me porterais. Avec un peu de chance, elle n'aborderait pas le sujet de la soirée. Je nageais en pleine utopie.

J'attendais qu'elle sorte de ma chambre, mais

elle restait plantée devant moi, à se balancer d'un pied sur l'autre.

– Alors ?

– Alors quoi ?

– Alors tu sais bien…

– Je sais bien quoi ?

– Ne me dis pas que tu n'as rien vu ?…

– Je ne dis rien.

– Tu fais la tête ?

– Non.

– Alors ?

– Alors rien.

Elle a haussé les épaules.

– Si tu te décides à sortir de ta chambre, sache que je ne suis pas toute seule au salon. Brian est là, Sopha, ainsi que quelques amis… Tout le monde t'attend.

– Faites comme vous voulez. Je ne sortirai pas.

– Frédéric est là aussi.

– Quoi ?

– Je l'ai croisé dans la rue et je lui ai proposé de passer.

– Et il a dit oui ?

– Il faut croire.

– Dis-lui de venir me voir dans ma chambre !

– Dis-le-lui toi-même. Je ne suis pas ta bonne.

Elle est sortie en claquant la porte. Comme si c'était elle la victime… Le génie de ma mère de retourner les situations à son avantage. J'ai immédiatement envoyé un texto à Frédéric. « Viens tout de suite, svp. » Deux secondes plus tard, il rappliquait. Et à ce qu'il disait, la situation était pire encore que je ne l'avais imaginé. Toute une troupe de gens avaient investi le salon, forts d'une caisse de bouteilles de champagne et d'un monceau de petits fours. Il y avait là des collègues de Brian, agence et ministère probablement, des amis de Sopha, et Frédéric lui-même avait été invité à convier ses parents à la fête. Mais ils étaient au travail, tout le monde n'a pas l'opportunité de faire la fête en début de soirée. Ma mère avait sorti les coupes et les serviettes en papier. On n'attendait plus que moi pour faire sauter les bouchons.

– Dis, Frédéric, c'est moi qui perds les pédales, ou est-ce qu'ils sont devenus cinglés ?

– Ni l'un ni l'autre. Ils n'arrivent tout simplement pas à penser que tu n'es pas contente. Pour eux, voir sa bobine placardée sur cent mille panneaux d'affichage est forcément une source de félicité. Ils s'attendent à ce que tu sois émerveillée et reconnaissante.

– Et leur truc, là... « L'amour est un don... » Ne me dis pas qu'ils trouvent ça formidable, d'être bombardée Jeanne d'Arc de la capote...

28

Frédéric s'est assis à côté de moi sur mon lit.

— Ils ne voient même pas où est le problème. Au contraire. Pour des gens habitués à faire de la publicité pour des yaourts ou des bagnoles, travailler pour la contraception, c'est une sorte de gloire. Un type s'est jeté sur moi pour me féliciter de participer à une grande cause. Comme si j'étais une sorte de militant, ou de résistant, ou de superhéros... D'ailleurs, autant te prévenir tout de suite, le type est journaliste. Il veut faire un article sur nous. Et apparemment, s'il est le premier, il ne sera pas le seul.

— Tais-toi !

— Je veux bien. Mais si ce n'est pas moi qui t'en parle, les autres s'en chargeront.

— Je ne répondrai à aucune question d'aucun journaliste, pour aucun article au monde...

Frédéric a posé la main sur mon genou.

— Mauvais calcul. Si tu te tais, c'est l'affiche qui

gagne et tu finiras en Marilyn de la contraception. Si tu réponds, tu deviens le sujet de l'article,
une fille sympa et intelligente qui pose pour une
campagne solidaire.

— Mais je ne suis pas sympa, je ne suis pas intelligente et je ne suis pas solidaire…

— Je sais. Mais tu ne sors pas non plus avec moi.
La vérité ne compte pas. Ce qui compte, c'est
l'image.

— C'est atroce.

— Je te signale que c'est toi qui as commencé.
Avec tes histoires de maquillage et de sortir
ensemble…

— Je te rappelle que tu as eu la même idée que
moi, en même temps que moi.

— Oui, mais maintenant je n'en fais pas une
maladie.

— Si je résume, il faut faire les idiots dans les
journaux pour ne pas avoir l'air trop idiot sur les
affiches ?

— À peu près. C'est comme les animateurs de
télé qui écrivent des romans, ou les mannequins
qui font actrices, ou qui chantent… Faire croire
qu'il y a quelqu'un d'autre derrière l'image.

— Et ça s'arrête où, ce cirque ?

— On verra quand on aura écrit le livre et fait le
disque !

Il souriait, assis en tailleur sur ma couette, ses

yeux pétillaient. Tandis que je me rongeais d'inquiétude, il s'épanouissait à vue d'œil. Dans le fond, il était le même que le petit garçon qui édifiait des villes en cailloux dans la cour de la maternelle. Il se moquait du monde alentour. Ce qui lui plaisait, c'était de jouer. Et il était prêt à jouer tous les rôles.

— Allez…, a-t-il fait d'un ton enjôleur. Fais pas la tête… On continue…

J'étais sur le point de répondre quand la porte de ma chambre s'est entrouverte.

— Je vous dérange ? a fait la voix de Brian.

— Non, ai-je répondu.

Et ce « non » à Brian était mon « oui » à Frédéric. Brian portait dans les mains trois coupes de champagne. Il a posé ses fesses au bord du lit communautaire et il a distribué les coupes.

— À mes modèles ! a-t-il lancé en levant la sienne. Et à l'amour !

Là-dessus, il nous a fait un petit clin d'œil entendu. J'ai regardé Frédéric. Il avait son air espiègle et son sourire rayonnant. J'ai pensé que nous ne pourrions pas mieux nous entendre, même si nous étions les amoureux les plus passionnés du monde, nous ne pourrions pas être plus proches l'un de l'autre que nous l'étions à cet instant.

J'avais à peine trempé mes lèvres dans le champagne que Sopha a poussé la porte à son tour.

– Eh bien quoi ? Vous faites bande à part ? Vous avez des trucs spéciaux à vous dire ?

Elle a poussé Brian sans ménagement et s'est assise à côté de lui. Elle m'a regardée avec des yeux satisfaits de propriétaire et elle a remarqué :

– Tout ça, quand on y réfléchit, c'est un peu grâce à moi, non ?

J'étais sur le point de la remercier quand ma mère a fait diversion, avec son petit air affolé. Elle a successivement posé les yeux sur Brian, sur Sopha, sur Frédéric et sur moi et elle a paru tout à fait rassurée.

– Je m'assieds cinq minutes avec les vedettes, a-t-elle fait. Puis on ira rejoindre les autres. Ils vont se sentir abandonnés, tout seuls au salon…

Sopha s'est écartée pour lui faire une place à côté de Brian. Elle ne manquait pas d'élégance, dans un sens. Ce photographe, au départ, c'était le sien. Sa sœur le lui avait soufflé sous le nez et elle ne semblait lui en tenir aucune rigueur. J'admirais naïvement son abnégation quand un grand type à catogan a pointé le nez dans l'entrebâillement de la porte et s'est adressé à elle.

– Chérie, a-t-il dit, amène tes amis. On vous attend pour trinquer…

29

L'avantage de ce genre de réunion entre adultes plus ou moins professionnels est que tout le monde semblait nous trouver formidables. Nous avions le bon physique, la bonne expression, le bon photographe. Nous avions fait du bon boulot. Et si nos camarades de collège devaient nous trouver ridicules…, il ne s'agissait jamais que des risques mineurs du métier. En somme, la vie réelle était là, avec eux, et le reste comptait pour des clous. Après une demi-coupe de champagne, il était facile d'y croire. Et il était temps d'arrêter les boissons gazeuses, avant d'être emportée par une euphorie gênante.

Visiblement, les copains de Brian (ou ses patrons, difficile à savoir) étaient ravis que nous répondions aux questions du journaliste. Rien de mieux qu'un article pour faire la pub de la pub. Le journaliste lui-même semblait considérer comme une chance d'être le premier à nous causer. Quant à nous, nous espérions vaguement sauver quelque chose de notre réputation. Enfin, c'était la confusion complète dans la joie générale.

Rien de plus facile que de répondre à une interview. Le principe étant que les réponses sont incluses dans les questions. Il suffit d'écouter. Exemple :

– Alors, vous êtes contents de participer à cette belle campagne nationale ?

Réponse : Très contents.

– Vous n'avez pas l'air de poser. Je suppose que la photo a été prise en situation naturelle ?

Réponse : Oui, très naturelle.

– J'imagine que vous êtes d'accord avec les objectifs du ministère, qui sont de diminuer le nombre des grossesses non désirées chez les adolescentes ?

Réponse : Tout à fait d'accord.

Et ainsi de suite. Là-dessus, un petit questionnaire d'identité : prénom, âge, classe, matières préférées. Et quand l'inévitable question sur nos relations personnelles a fini par tomber (Alors ? Vous deux ? Amoureux ?), il a suffi d'arborer le fameux sourire ineffable tout en se retranchant dans un silence pudique… Le tour était joué.

– Merci les jeunes, a dit le journaliste en remballant son MP3. C'était très sympa.

Je me sentais tout à fait soulagée quand Frédéric a ruiné mon bien-être.

– Je me demande ce qu'il va nous faire dire, a-t-il murmuré. Un article, ça peut être encore pire qu'une photo. Après les poupées qui posent, les poupées qui parlent…

– Mais c'est toi qui m'as convaincue de répondre !

Il a haussé les épaules, l'air du garçon qui n'en peut plus de ses responsabilités. Ça recommençait : il en faisait trop. J'ai profité de ce qu'on sonnait pour le planter là. Je me suis précipitée à la porte d'entrée. Mais pas assez vite pour devancer ma mère qui affichait son meilleur sourire d'hôtesse pour ouvrir… aux parents de Frédéric.

– Chers amis, bienvenue ! a-t-elle claironné triomphalement.

Elle n'avait pas eu besoin de présentations pour les reconnaître. D'abord, ils étaient indiscutablement asiatiques. Ensuite, ils étaient indiscutablement terrifiés. Trop de gens, trop de bruit, trop d'agitation. Les malheureux regrettaient affreusement d'avoir sonné. Mais il était trop tard. Ma mère s'était jetée sur eux. Tout en leur secouant les mains comme une forcenée, elle les attirait dans l'appartement. Elle refermait la porte sur ses proies quand Frédéric s'est enfin donné la peine d'apparaître.

– Mes parents…, a-t-il murmuré, atterré.

– C'est toi qui leur as demandé de venir, lui ai-je rappelé.

– Je ne pouvais pas deviner qu'ils le feraient…

S'il n'était pas content, il était bien le seul. Tout le monde autour de lui semblait électrisé par les nouveaux arrivants. De partout on leur tendait des verres pleins qu'ils refusaient avec des sourires embarrassés. On les félicitait avec des phrases enthousiastes dont ils pouvaient deviner l'allégresse à défaut d'en comprendre le sens. Frédéric ne les quittait pas d'une semelle, leur chuchotant à l'oreille, leur précisant la qualité et peut-être même le propos de leurs interlocuteurs. Une chose était certaine : ils étaient complètement paumés, les pauvres. Quant à Frédéric, il était au bord de la crise de nerfs.

– Rends-moi service. Explique gentiment à ta mère que ça ne sert à rien de hurler. Ils ne sont pas sourds, ils sont chinois…

30

J'aurais dû rester enfermée dans ma chambre. Je le savais. Au moins, aucun crétin n'aurait pu me faire parler entre guillemets dans un quotidien national. « *Je suis très fière d'avoir été choisie par Brian Dumonchel, une star de la photographie* », *nous a confié le jeune modèle avec un sourire modeste.* « *J'avoue que je suis plutôt contente du résultat !* » *s'est-elle ensuite exclamée avec un grand naturel.* « *Je me sens très concernée par les causes humanitaires* », *a conclu l'ambassadrice de charme sous le regard admiratif de son compagnon. Et si elle jure qu'elle n'a pas l'intention d'entamer une carrière dans le manne-quinat, on devine qu'elle n'en restera pas à cette pre-mière expérience… On ne s'en plaindra pas !*

– Pas la peine de t'énerver, a remarqué Frédéric. Personne ne lit le journal.

– Personne sauf deux millions de lecteurs.

– Tant que ça ?

– En tout cas, c'est ce qu'ils prétendent sur leur site.

– Deux millions…, a répété Frédéric d'un air rêveur.

Deux millions de personnes pouvaient donc découvrir ma binette dans le journal, à supposer qu'ils ne l'aient pas déjà admirée dans la rue. J'y posais, scotchée à Frédéric, une coupe de champagne à la main, sous la légende : « Le jeune couple star de la nouvelle campagne du ministère de la Santé. » En arrière-plan, on distinguait nettement les parents Lin, agrippés à leurs verres de jus d'orange, serrés l'un contre l'autre comme deux petites gerbilles.

– Je te jure que je n'ai pas dit un seul mot de ce qui est écrit là-dedans ! « Une star de la photographie »… Quelle expression répugnante…

– Calme-toi ! Tu crois que j'ai dit : « C'est une aventure exceptionnelle, sur le plan humain et médiatique » ? « Sur le plan »… Qui peut prononcer un truc pareil ? Ça me donne envie de mourir !

– Tu vois ?

– En même temps, si tu y réfléchis cinq minutes, tu verras que ça n'a aucune importance.

– Bien sûr ! Avec toi, rien n'a d'importance ! Ah, j'en ai marre ! Si tu savais ce que j'en ai marre…

– Ça devait finir par arriver, a remarqué placidement Frédéric. Les histoires d'amour ne sont pas éternelles. Adèle, ma chérie, je suis désolé, mais je ne vois qu'une solution. La rupture.

– Si seulement je pouvais, imbécile ! Mais explique-moi comment on fait pour plaquer quelqu'un avec qui on ne sort pas ?

Cela dit, Frédéric n'avait pas tort. Au collège, personne n'a vu passer l'article. Les gens ne lisent pas le journal, c'est clair. Ils regardent la télé et, grâce au ciel, notre petit couple exemplaire ne l'était pas assez pour le petit écran. Quant aux profs, si par hasard ils lisent le journal, ils ne s'en vantent pas. De toute façon, ils en avaient assez vu sur les affiches. Je pouvais désormais me couvrir de honte autant que ça me plaisait, le cas était entendu : le mieux est de faire comme si de rien n'était, ils sont déjà assez arrogants comme ça. Par chance, la République est égalitaire, le collège unique, et j'étais nivelée sans pitié par un corps enseignant hostile aux sirènes de la célébrité.

Si le front scolaire était plutôt calme, une forte effervescence agitait le front familial. Par un curieux retournement, j'étais prise d'anxiété à l'heure de quitter le collège pour retourner dans l'appartement. Ma mère avait pris des congés pour finir de préparer son examen d'entrée à l'école d'orthophonie. Autant dire qu'elle était sur zone à longueur de journée. Et elle n'y était pas seule. Brian avait élu domicile à côté d'elle. Il ne s'éloignait jamais à plus de un mètre, ce qui aurait pu être touchant si ça n'avait été aussi exaspérant. Le détail exaspérantissime étant un nouveau genre de sourire ahuri qu'ils arboraient désormais, comme la manifestation visible du surplus de joie qui les habitait à longueur de journée (et de nuit, j'en ai peur). Elle travaillait, ou elle faisait semblant, assise à la table de la salle à manger, tandis que son acolyte triait ses photos, planté en face d'elle. Ils étaient là, amoureux et studieux, et j'avais juste envie de les tuer. Ils se fichaient bien de tous les ennuis que j'avais gagnés à leur nouveau bonheur. Ils étaient chacun tout encombré de l'autre. Je n'existais plus, ou si peu…

31

Si j'avais à peu près disparu aux yeux de ma mère, j'avais nettement gagné en visibilité dans le regard de Sopha. Elle n'oubliait pas un instant qu'elle était l'artisan de ma révélation. Mais elle ne pouvait s'empêcher d'être surprise par l'éclat de sa réussite. Dans le fond, si elle avait toujours eu confiance dans ses talents de coach, elle n'avait jamais vraiment cru à mon potentiel. Et voilà que la créature dépassait son maître. D'une certaine manière, elle était le docteur Frankenstein et j'étais son monstre. Elle était obligée de me respecter.

– Adèle ! hurlait sa voix dans le répondeur. Appelle-moi ! J'ai des informations extrêmement importantes pour toi !

J'aurais préféré qu'elle ressemble un peu plus à ma mère. Qu'elle passe ses journées dans l'adoration silencieuse de son vilain type à catogan. Mais non. Pour moi, elle était toujours disponible. Et comme j'évitais soigneusement de la rappeler dans l'espoir vain d'échapper à ses informations, elle débarquait à l'appartement pour me reprocher mon ingratitude. Sa dernière contribution à ma vie consistait en un classeur rempli de pochettes transparentes dans lesquelles elle glissait les photocopies des articles sur la campagne. Sur la couverture, elle avait écrit, au feutre doré : « L'amour est un don ».

– Je fais ça pour toi, m'avait-elle prévenue en agitant son index sous mon nez. Tu seras bien contente de l'avoir plus tard.

J'allais lui dire gentiment qu'elle était bien aimable de conserver des souvenirs dont je ne voulais pas, quand elle a précisé en me regardant au fond des yeux :

– C'est le début de ton book.

Je n'ai rien dit. Elle était visiblement gagnée par un délire de surpuissance et il était dangereux de la contrecarrer. On ne sait pas ce dont sont capables les gens en pleine phase maniaque. J'ai feuilleté son classeur. Le baratin de notre ami journaliste créateur de citations ouvrait le bal. Mais derrière, il y avait tout un tas d'articles minuscules, tirés des journaux gratuits, des magazines professionnels de la publicité, de la photo, de la médecine, et plus généralement de la santé. Rien de très important, mais beaucoup.

– Tu vois le triomphe ? me répétait Sopha pendant que je tournais mollement les feuillets transparents. On s'en est bien tirées, pour une première fois, non ?

– Sopha ! disait alors ma mère. Tu ne veux pas aller dans la cuisine avec Adèle ? J'arrive pas à travailler quand vous criez dans mes oreilles.

Dans la cuisine, tandis que je finissais de prendre connaissance de son travail de groupie, elle m'observait en silence avec des yeux conquis. J'avais l'impression horrible qu'elle m'admirait. Comme si j'avais réussi (sans rien faire) quelque chose qu'elle avait loupé (en dépit de ses efforts). Parmi les sentiments pénibles que l'on peut éprouver dans l'existence, celui-là est spécialement désagréable. Je ne pouvais même plus me moquer d'elle. J'en étais réduite à faire semblant de m'intéresser à ma revue de presse. Au secours.

– J'en ai parlé à des amis, a-t-elle glissé quand j'ai refermé son classeur.

Elle me parlait sur le ton de la confidence, comme si j'avais son âge et que nous étions copines. Je me suis sentie d'un coup complètement déprimée.

– Trop aimable, ai-je répondu. Tu leur as parlé de quoi ?

– De toi, bien sûr. Tu pourrais faire des castings. Tu ne vas pas t'arrêter là, quand même…

J'aurais dû hurler qu'il était temps pour elle qu'elle s'occupe de son propre cas et qu'elle me laisse faire ma vie. Mais elle avait quelque chose de suppliant dans la voix. J'étais débordée par un tel sentiment de mélancolie que j'ai plongé tête baissée dans la sincérité.

— Sopha, j'ai dit, je n'aime pas cette campagne, je n'aime pas être sur la photo, je n'aime pas qu'on me voie dans la rue, je n'aime pas les articles, je considère que c'est une catastrophe, et même…

Et là-dessus, je lui ai expliqué toute l'histoire du tsunami.

— Le maquillage, c'était le battement d'ailes du papillon, et la vague, la campagne de Brian…

Elle m'a écoutée patiemment. La déception, puis le reproche, ont envahi son visage. Et quand j'ai eu terminé, elle m'a dit :

— Tu crois qu'on peut décider de son destin ? Ce que tu es naïve, ma pauvre fille ! Tu as déjà entendu parler de la vague qui suit le tsunami ? Celle qu'on appelle la Réplique ?…

32

Il faut pas mal de temps à une catastrophe pour passer de l'état de papillon à celui de raz de marée. À force d'événements, nous n'étions plus très loin des vacances d'été. Quand j'avais demandé à Frédéric ce qu'il comptait faire de tout ce temps qui sépare une classe d'une autre, il m'avait répondu qu'il travaillerait à la maroquinerie avec son père.

– Ils ont toujours besoin d'un coup de main pour préparer les stocks de rentrée.

– Les deux mois ?

– Tout dépend des commandes. S'il y a du travail pour deux mois, je ferai les deux mois.

J'aurais pu le plaindre. Je l'enviais. Comme chaque année, ma mère avait loué un gîte près de Dole (dans le Jura, si quelqu'un voit à peu près où se trouve le Jura). Et comme chaque année j'allais passer un mois à l'air pur et dans la plus parfaite solitude de l'âme. Brian serait probablement du voyage, oh mon Dieu. Ça ne m'aurait pas déplu de travailler pour une fois à un vrai travail, dans la compagnie de vrais travailleurs. Ça m'aurait même plu que ce soit dur et fatigant, afin que je prouve à quel point je pouvais être courageuse et endurante. J'aurais eu l'impression d'apprendre quelque chose de la vie, au lieu de m'épuiser à faire la tête pendant quatre semaines. Franchement, je n'en pouvais plus de l'alternance immuable des journées piscine, marche en forêt, et découverte du patrimoine.

— Frédéric, j'ai dit, tu crois qu'ils pourraient m'embaucher ?

— Non. D'abord, ce n'est pas vraiment une embauche. Et en plus, il n'y a pas de Français à l'atelier.

— C'est de la discrimination raciale ou quoi ?

— Je n'y ai jamais réfléchi sous cet angle-là.

— Tu ne veux pas qu'on aille dépenser tous nos sous ensemble au soleil ?

— Tous les deux ? Tu es dingue ?

— Ne sois pas vexant. Tous les deux en club.

— Non, a dit Frédéric. Je préfère rester avec mes parents.

— Fils à papa, ai-je fait bêtement.

— Exactement. Fils à papa.

Les passages de classe étaient déjà décidés. Plus personne ne fichait rien au collège. Tout juste si les usagers venaient pointer. La contraception n'était plus à l'ordre du jour. Les affiches avaient commencé à quitter leurs panneaux. Elles étaient remplacées par des annonces paradoxales pour les crèmes solaires et contre la canicule. Quant à nous, nous nous prenions la main par habitude, et par habitude plus personne ne songeait à nous regarder comme des bêtes curieuses. Dans un sens, nous étions devenus invisibles, même à nos propres yeux. Rien ne me paraissait plus doux qu'un paisible anonymat, qu'une douce normalité. La vie semblait presque facile quand la Réplique est arrivée.

— Et vous, Frédéric, qu'est-ce que vous envisagez comme parcours ?

C'était un de ces débats un peu mous qui permettent de faire durer les cours jusqu'à la date officielle de fin des classes. La prof d'histoire s'y était collée et nous discutions dans le vide de nos ambitions futures et autres métiers potentiels.

— Je vais m'inscrire en droit. Puis je passerai le concours pour être avocat. Parallèlement je m'engagerai dans la politique. Ensuite, je m'arrangerai pour concilier mon activité au barreau et mon activité citoyenne.

— Eh bien, au moins vous êtes décidé !

Elle était ébahie. Apparemment, des élèves qui parlaient de politique, elle n'en avait plus croisé depuis quelques générations.

– Et vous Laurène ? a-t-elle ensuite demandé à Laurène qui envoyait des textos sous la tablette de son bureau.

– De la communication, a répondu distraitement Laurène sans même lever les yeux, et là-dessus le téléphone de Frédéric s'est mis à vibrer dans son sac.

– Mince, a murmuré Frédéric. C'est sûrement ma mère. Elle sait pourtant que je suis en cours...

La sonnerie a retenti peu après, interrompant Julien qui expliquait confusément qu'il comptait bien travailler dans le cinéma même s'il ne savait pas du tout quoi y faire, ni comment s'y prendre. Frédéric s'est précipité dans le couloir pour écouter ses messages. Il a rangé son téléphone, puis il m'a regardée longtemps, comme si ses yeux ne me voyaient pas.

– Viens avec moi, a-t-il dit d'une voix blanche. On sort...

33

— Qu'est-ce qui se passe ? Qu'est-ce qui se passe ?

Je cavalais dans les escaliers derrière Frédéric. Je n'avais pas besoin de le regarder pour savoir qu'il serrait les dents. C'est son truc dans les situations d'émotion majeure, serrer les dents. Il ne m'avait toujours rien dit quand nous sommes arrivés devant le surveillant qui gardait la porte.

— Laissez-nous sortir, a lancé Frédéric. C'est important.

— Pas possible.

— Cette fois, c'est possible. On dira que vous ne nous avez pas vus…

— Je t'ai dit non. Il me faut ta carte.

— On vous a bousculé, on s'est enfuis en courant…

— Laisse tomber. C'est non.

— Bon, a murmuré Frédéric et il m'a pris la main. Tant pis…

Il s'est jeté sur le surveillant, trop stupéfait pour avoir même l'idée de le retenir. Le type s'est écarté et nous nous sommes mis à courir comme des lapins. On entendait crier de loin :

– Je vous mets un avertissement, tous les deux ! Vous m'entendez ?

J'avais un point de côté atroce quand nous sommes arrivés devant l'immeuble de Frédéric. Cette fois, il n'a pas fait de chichi pour m'inviter. Il a appelé l'ascenseur et nous sommes montés ensemble.

– Maintenant, tu m'expliques ou je te frappe.

– Mon père est au commissariat.

– Il a eu un accident ?

– On peut appeler ça un accident. Un contrôle d'identité à l'atelier.

– Oui ? Et alors ?

Frédéric m'a regardée d'un air effondré.

– Mais il n'a pas de papiers, mon père, andouille ! Qu'est-ce que tu crois ? Il est juste sans papier du tout. Clandestin depuis quinze ans. Si on ne se bouge pas les fesses, et vite, le juge va lui coller un aller simple pour le Sichuan ! Et il sera dans l'avion avant que…

– Arrête de me hurler dessus ! C'est pas moi qui les refuse, les papiers, à la fin !

– Mais t'es devenue complètement hystérique ou quoi ? Tout ce que je te demande c'est de m'aider un peu !…

– Et qu'est-ce que je suis en train de faire, hein ?

Nous criions tellement fort qu'il n'a pas eu besoin d'ouvrir la porte. Sa mère s'était précipitée sur le palier et elle nous contemplait avec effarement. Frédéric s'est tourné vers moi.

– On va avoir besoin de gens. Il faut téléphoner, trouver des témoignages, monter un dossier… J'appelle l'avocat et je m'occupe de ma mère. Toi, appelle la tienne !

– Bien, chef !

Pour un type qui voulait se lancer dans la politique, il avait de l'autorité mais pas beaucoup de bon sens. Parce que, ma mère, j'avais aussi vite fait d'aller la voir. J'ai donc repris l'ascenseur et j'ai foncé chez moi. Ils étaient là tous les deux, comme deux petites colombes, ma mère et son paquet de glu, sagement assis à leur table favorite.

– Adèle ? a fait ma mère. Qu'est-ce que tu fabriques ici ?

– Le père de Frédéric est en prison, il a rien volé t'inquiète pas, il n'a pas de papiers c'est clair, bon bref, il faut faire des trucs, je ne sais pas quoi, mystère, mais il paraît qu'il faut que tu t'y mettes, et vite…

– J'appelle Frédéric, a dit ma mère. Et toi calme-toi, on ne comprend rien à ce que tu racontes.

– En même temps, comme je n'ai pas compris grand-chose, c'est pas étonnant.

Il s'est rapidement avéré que ma mère n'aurait

jamais Frédéric au téléphone. Il était sans cesse occupé. Elle a fait au plus simple, elle est partie en face.

– Cinquième étage ?

– Oui, porte gauche.

Et je suis restée avec Brian qui se curait distraitement les ongles. Le calme m'est tombé dessus comme une enclume. J'ai revu M. Lin, son verre de jus d'orange à la main, tentant d'échapper aux assauts oratoires de ma mère. La petite Mme Lin, souriant courageusement, collée à son mari. Et Frédéric me répétant : « Exactement. Un fils à papa. » Ensuite, je voyais passer un maroquinier, une minuscule machine à laver en plastique bleu ciel, des policiers, un juge en robe, une machine à coudre, un manuel de grammaire, des bâtons d'encens et le père de Frédéric dans un avion. Tout cela faisait comme les centaines de pièces d'un puzzle éparpillé. Je ne voyais pas du tout comment rassembler les morceaux pour obtenir une image cohérente. Le monde m'était devenu illisible. Je me suis sentie complètement perdue.

– Oh misère, ai-je soupiré, qu'est-ce qu'on va faire maintenant ?

La voix de Brian m'est arrivée de loin, de très loin :

– Te bile pas, princesse. On va faire ce qu'on a à faire…

34

Brian a ouvert son carnet d'adresses devant lui et il a suçoté son crayon.

– Prends une feuille. Essaie de te souvenir de tous les gens qui connaissent Frédéric ou ses parents. Je cherche de mon côté.

Facile. J'ai dressé l'inventaire des noms du collège pendant qu'il listait tous les joyeux drilles qui picolaient à notre petite soirée contraceptive.

– J'appelle les miens pour qu'ils m'écrivent des témoignages d'intégration. Toi, tu retournes au collège et tu t'occupes des tiens. N'oublie pas de demander une photocopie de leur pièce d'identité. Et prends les numéros de téléphone pour les joindre en cas d'urgence.

– En cas d'urgence ?

– On ne sait jamais. Les choses pourraient s'accélérer. On pourrait avoir besoin de se rassembler.

– Tu en sais des trucs…

– Et encore, je ne te dis pas tout. Bon, vas-y maintenant !

– Et Frédéric ?

– Je le tiens au courant. Allez ! File !

J'ai glissé mon portable dans la poche arrière de mon jean. Et je suis repartie, toujours en courant. Je me repassais en boucle dans la tête le film d'anticipation de mon futur proche : d'abord demander une lettre au surveillant à l'entrée, ensuite foncer en salle des profs, après filer en classe et baratiner la bande de thons. Une lettre, un numéro de téléphone, une photocopie de la carte d'identité. Je repasse chercher le tout demain matin. Merci. Et si c'était « non » ? Eh bien, tant pis, ce serait « non » et j'irais chercher un « oui » ailleurs… Cours, Adèle, cours !

Ce beau programme a été brièvement interrompu à une cinquantaine de mètres du collège, quand mon portable s'est mis à sonner contre ma fesse.

– Adèle, c'est Adrien Mazzaoui. Le journaliste qui t'a interviewée à la fête. Tu te souviens ?

– J'aurais du mal à oublier…

– Je viens d'avoir Brian au téléphone. Est-ce que tu peux m'expliquer en deux mots ce qui arrive chez Frédéric ?

Je pouvais. À l'aise. Deux cent mille mots sont sortis de ma bouche dans la pagaille la plus totale.

– Parle moins vite, s'il te plaît ! C'est un peu confus… Tu es au collège, là ? Je prends une voiture et je te rejoins !

J'ai recommencé à courir. Je me suis effondrée hors d'haleine en salle des profs, où, apparemment, tout le monde était au courant de la carence de papiers chez les Lin et autres inconforts familiaux. Dans le fond, les profs savent un tas de trucs qu'on ignore. Personne ne s'en doute, mais c'est comme ça. Ils ont des connaissances occultes, et même des sentiments secrets.

– Je m'en charge, m'a juste dit la CPE. Je préviens les enseignants. Frédéric aura les lettres demain matin. Qu'il m'appelle dès qu'il aura la date du passage au tribunal…

– Et pour l'avertissement ?

– On verra ça plus tard.

Dans la classe, les choses ont été un peu plus compliquées. Parce que là, nous étions tous à égalité. Personne n'y comprenait rien.

– Mais pourquoi il les a pas, les papiers, son père ? Et s'il les demande gentiment ? Frédéric, c'est pas français comme nom ? Qu'est-ce qu'il faut écrire dans la lettre ? J'imagine pas du tout mon père en Chine… Je peux mettre que tu sors avec Frédéric ? Et toi ? T'es française ou il faut aussi une lettre ?

J'aurais pu y passer la journée. Notamment pour

consoler Laurène qui semblait au bord des larmes. Cette histoire, c'était trop d'émotion pour elle. Ou alors elle était secrètement amoureuse de Frédéric, qui sait. Mais je n'avais pas le temps de m'éterniser. Adrien Mazzaoui le graphomane m'attendait… Cette fois, je n'ai eu aucune difficulté à sortir du collège.

— C'est bon, a dit le surveillant. Mais vous auriez pu me mettre au courant au lieu de vous enfuir comme des sauvages…

Devant le collège, ils étaient deux. Adrien, son appareil photo et son MP3 maudit. Et une fille qui sortait une caméra de son sac. Elle a ajusté un micro poilu au-dessus du viseur et elle a calé la caméra sur son épaule. J'ai jeté un coup d'œil désespéré à Adrien. Il m'a renvoyé son bon sourire de traître. Et il a dit :

— Alors ?

J'ai eu une pensée fugitive pour Sopha. Elle me l'avait promise, elle était là. La Réplique. La déferlante. Le grand engloutissement. Elle allait me renverser, me passer dessus et me noyer dans ses rouleaux. J'en sortirais essorée, télévisée, déconsidérée. Et je n'avais absolument pas le choix. J'étais l'amie d'un fils à papa, et l'heure était venue de le prouver…

35

— N'entre pas ! a crié Brian du fond du canapé.
C'est le journal régional…

J'ai filé dans ma chambre où je me suis enfermée. Plutôt mourir foudroyée que me voir brailler
dans le poste. Cinq minutes plus tard, on frappait
à ma porte.

— C'est fini. Tu peux sortir.

— C'était comment ?

— Du bon boulot. Enfin…, on n'a pas compris
grand-chose, mais tu étais très mignonne en
petite amie bouleversée. De toute façon, à la télé,
tout le monde se fiche de comprendre. On veut
juste être ému.

— Tu crois que ça va servir à quelque chose ?

— Tu veux rire ? Aucune administration au
monde n'a envie d'affronter l'opinion révoltée.
Donc, en termes de communication, tout l'enjeu
consiste à gagner l'opinion. C'est ce que tu viens
de faire : tu t'es montrée très mignonne, très

touchante, et tout le monde a envie d'être de ton côté. Ton chéri peut être content de toi.

– C'est pas mon chéri.

– Tu me fatigues… Maintenant, il va falloir que tu paies l'addition. Parce que demain, c'est la presse papier. Et tu connais Adrien…

J'avais au moins appris une chose, ces derniers mois : en situation de catastrophe, le mieux est de ne pas anticiper les dégâts. Il est toujours temps de les affronter quand ils sont là. J'ai donc rangé Adrien dans le tiroir des amnésies temporaires. Et quand ma mère est enfin revenue de chez les Lin, nous nous sommes mis à table dans une ambiance familiale et bon enfant. Elle avait pour moi des petits regards amusés qui disaient assez qu'elle m'avait vue au journal et qu'elle était contente de sa fille. Je n'en voulais pas plus. Il était presque minuit quand Frédéric a sonné.

– J'espère que je ne vous dérange pas ?

– Pas du tout, a répondu ma mère hirsute en rajustant son pyjama. Tu ne te couches donc jamais ?

– Je voulais juste dire à Adèle que…

– C'est bon ! ai-je dit. Je l'ai fait parce que j'étais obligée.

– D'accord, d'accord… Je voulais te dire aussi que mon père échappe au centre de rétention. Il sort demain. L'avocat pense qu'il a de bonnes chances d'obtenir rapidement des papiers en règle. Il prépare le dossier avec toutes les lettres, mes bulletins et le dossier de presse de Sopha. On va enfin devenir français.

– Et tu ne dis même pas merci ! Après tout ce que j'ai fait pour toi…

Frédéric m'a prise dans ses bras. Tout à fait comme prévu dans le protocole d'intégration scolaire «On sort ensemble».

– Merci, a-t-il soufflé dans mon oreille. Je me roule à tes pieds…

Avec toutes ces histoires, je me suis endormie tard, je me suis réveillée tard, et j'étais en retard pour le collège. J'ai piqué un sachet de biscuits dans l'armoire et j'allais claquer la porte quand ma mère m'a rappelée.

– Adèle, il faut que tu sois prévenue, a-t-elle dit en me tendant le journal plié en quatre. Bonne journée, et rappelle-toi que tu as été formidable…

J'ai déplié le journal dans l'ascenseur. Sur la première page, en bas, à gauche, en lettres énormes et grasses, on lisait : « *Bouleversant : l'ange de la capote vole au secours de son beau-père sans papiers* ». Et au-dessus, sur une large photo, l'ange en question posait, les bras croisés, le visage grave, devant son collège préféré.

En sortant de l'immeuble, j'ai cherché des yeux un fleuve où me noyer, un arbre auquel me pendre, un trou noir pour disparaître. Mais il n'y avait que Frédéric, qui me regardait d'un air attendri, en agitant le journal devant lui.

– Une demi-page à l'intérieur. Avec une photo de la campagne. Tu dis un tas de choses admirables sur la nation, l'engagement et la solidarité. Je ne sais pas où le type a été chercher tout ça mais à mon avis tu es cuite. Tu peux te présenter aux prochaines élections !

La tentation de rebrousser chemin et de rentrer à l'appartement m'a effleurée. C'était malheureusement impossible. Toute une classe m'attendait, ses petites lettres soigneusement pliées dans les carnets de correspondance. On n'abandonne pas un mouvement qu'on vient de lancer.

– Frédéric Lin, ai-je lancé, tu me pourris la vie.

– Plus pour longtemps. On est en vacances dans dix jours. Et donne-moi la main, on arrive à la poubelle verte !

Au moment même où je tendais mon bras, une foule de gens se sont avancés vers nous. Ce n'était plus la masse murmurante qui nous avait accueillis toutes ces dernières semaines, mais un groupe d'amis inquiets qui se pressaient de toutes parts pour demander des nouvelles de la famille. Frédéric leur répondait avec chaleur, et je le regardais faire. Quand soudain j'ai compris ce qui était en train de se passer… Nous étions intégrés ! J'ai rejoint Frédéric au milieu de tous nos amis et je l'ai pris par la taille.

– C'est dingue ! On y est arrivés !

– Grâce à toi mon amour, a répondu mon complice adoré. Grâce à toi.

FIN

Marie Desplechin

L'auteur

Marie Desplechin vit et travaille à Paris. Elle a trois enfants. Elle a signé de nombreux livres pour enfants et adolescents, comme *Verte* et *Le Journal d'Aurore*, ainsi que pour les adultes. *La Vie sauve*, écrit avec Lydie Violet, a obtenu le prix Médicis Essai en 2005. *La Belle Adèle* est le premier volet d'une série d'histoires de collège qui se poursuit avec *Le Bon Antoine*. Marie Desplechin s'intéresse à de multiples domaines et travaille avec des artistes de différentes disciplines, comme Carolyn Carlson pour la création du spectacle *Le Roi penché*. Elle a également écrit des scénarios pour le cinéma. Elle a étudié les lettres classiques et le journalisme et travaille toujours pour la presse.

Du même auteur chez Gallimard Jeunesse

La Belle Adèle

Le Bon Antoine

Découvrez d'autres histoires
d'amitié

dans la collection

UNE GAULOISE DANS LE GARAGE À VÉLOS

Florence Thinard

n° 1599

Dans le garage à vélos de la tour du Provence, pas de vélos… juste Chloé, neuf ans, échappée de son foyer d'accueil. Au sixième étage, quatre garçons, Yassin, Mokhot, Prosper et César, chez leur mère adoptive Mamadi. Attendris par la petite Gauloise, les copains ont décidé de la cacher. Mais ça ne va pas être facile. La police qui la recherche, un concierge imbibé, des dealers enragés… Et encore, tout ça n'est rien à côté du troisième œil de Mamadi!

MA MEILLEURE AMIE

Jacqueline Wilson

n° 1387

Alice et moi, nous sommes nées le même jour, dans la même ville, dans le même hôpital et depuis, on ne se quitte plus. On va dans la même école, on partage tout, on n'a aucun secret l'une pour l'autre. Mais les parents d'Alice veulent déménager à l'autre bout du pays. Pas question que je reste seule ici, et qu'on m'enlève mon amie. Je vous le promets, rien ne pourra jamais nous séparer !

Avez-vous lu les aventures du **Bon Antoine**
de Marie Desplechin ?

————————

dans la collection

Pour fabriquer une bonne embrouille, il faut se mettre
à plusieurs et se répartir le boulot. Un taggeur trouillard,
un sac à dos volé, un squat entre copains… Et voilà
qu'Antoine doit nettoyer les salles de classe tous les matins
pendant une semaine. Dans l'équipe d'entretien, il y a Bébé.
Elle est jolie comme Beyoncé et Antoine ne peut rien lui
refuser… Il en oublierait presque que Lison l'a quitté !
Les ennuis ne font que commencer.